E. T. A. Hoffmann
Der goldne Topf

Von
Paul-Wolfgang Wührl

D0587237

Philipp Reclam jun. Stuttgart

E.T.A. Hoffmanns Märchen *Der goldne Topf* liegt unter Nr. 101 in Reclams Universal-Bibliothek vor. Die Seiten- und Zeilenangaben in den Erläuterungen beziehen sich auf diese 2004 auf der Grundlage der neuen amtlichen Rechtschreibregeln durchgesehenen Ausgabe.

RECLAMS UNIVERSAL-BIBLIOTHEK Nr. 8157
Alle Rechte vorbehalten
© 1982, 2004 Philipp Reclam jun. GmbH & Co., Stuttgart
Durchgehend neu bearbeitete und aktualisierte Ausgabe 2004
Der Abdruck der Strukturskizzen S. 70/71, 86/87 und 102 erfolgt
mit freundlicher Genehmigung des Schneider-Verlags Hohengehren,
Baltmannsweiler
Gesamtherstellung: Reclam, Ditzingen. Printed in Germany 2004
RECLAM, UNIVERSAL-BIBLIOTHEK und
RECLAMS UNIVERSAL-BIBLIOTHEK sind eingetragene Marken
der Philipp Reclam jun. GmbH & Co., Stuttgart
ISBN 3-15-008157-2

www.reclam.de

Inhalt

I. Wort- und Sacherklärungen

Der folgende Zeilenkommentar versucht, die wesentlichen Aussagen der Hoffmann-Forschung zu den Hauptaspekten im *Goldnen Topf* zu erschließen. Er will den Benützer nicht auf eine bestimmte Deutung festlegen, sondern auf den Beziehungsreichtum und die Vielschichtigkeit des Textes aufmerksam machen.

Erste Vigilie

5,1 *Vigilie:* Nachtwache. – Jean Paul pflegte seine Romane in Stationen, Sektoren, Belustigungen, Zyrkel u. a. zu gliedern (vgl. HKA I,495, Maassen). Hoffmanns Vigilien erinnern auch an die *Nachtwachen des Bonaventura* (1805).

5,2 f. *Des Konrektors Paulmann Sanitätsknaster und die goldgrünen Schlangen:* Zahlreiche Inhaltsangaben in den Untertiteln verweisen auf das Sichschneiden zweier Perspektiven und die Doppeldeutigkeit der Erscheinungen (vgl. Preisendanz, S. 90, Anm. 46).

5,4 *Am Himmelfahrtstage, nachmittags um drei Uhr:* Der Beginn mit seiner präzisen Zeit- und Ortsangabe ist für ein Märchen ungewöhnlich. Hoffmann will damit das Wunderbare »keck ins gewöhnliche alltägliche Leben« treten lassen (vgl. dazu S. 139 f.).

5,5 f. *in Dresden durchs Schwarze Tor:* Das Schwarze Tor befand sich im Nordwesten Dresdens und führte zum Linkischen Bade (vgl. 6,13). 1812 wurde es abgerissen (vgl. HKA I,495, Maassen). Im »Goldnen Topf« ist das *Schwarze Tor* nicht nur ein Teil der Erzählkulisse, sondern ein ambivalentes Requisit mit unheilvoller Vorbedeutung. Anselmus rennt durchs Schwarze Tor, und »damit beginnt für ihn das Märchen seiner Berufung oder ›Himmelfahrt‹ nach Atlantis, und zugleich seine unselige, durch das ›Schwarze Tor‹ vorbedeutete Begegnung mit dem hexenden Äpfelweib. Zugleich aber bleibt das Schwarze Tor das zur Elbe hin gelegene Stadttor Dresdens, durch das man, wie Anselmus selbst, zur Lustpartie nach dem Linkischen Bade eilte. Wie hier sind die Fakten des Gewohnten und die Motive des Wunderbaren immer halb ihrer Sphäre entrissen und dem jeweils gegensätzlichen zugeordnet« (Miller, S. 367). Aniela Jaffé deutet die Konstellation tiefenpsychologisch mit dem Begriffsinstrumentarium der Lehre C. G. Jungs. Demnach wäre das *Schwarze Tor* die Grenze zum »Reich des Unbewußten« (Jaffé, S. 289).

5,11 f. *Gevatterinnen:* hier: Marktfrauen.

5,20 *ins Kristall:* Der Fluch der Alten spielt auf die Kristallomantie, die aus okkulten Vorstellungen überlieferte Kunst der Wahrsagerei durch einen Blick ins Kristall, an. Das Fixieren geschliffener oder irisierender Gegenstände (Jakob Böhmes Schusterkugel) kann seelisch Erregte in Trance versetzen. Kristallseherei wurde 1661 im Königreich Sachsen als Teufelswerk verboten. Es hieß u. a., es sollten »mit dem Teufel durch Krystalle keine Gespräche gehalten« werden (vgl. HKA I,495, Maassen).

5,24 *Anselmus:* Der lebensuntüchtige, aber für das Wunderbare besonders empfängliche Student Anselmus, ein »hoffmannscher Illusionsmensch« mit einer »ungewöhnlich verfeinerten Subjektivität« (Sakheim, S. 230), ist ein Ich-Aspekt Hoffmanns (s. S. 114).

6,9 *das schwarzatlasne ... Unterkleid:* Gemeint ist hier wohl eine Frackweste aus Seidenatlas. *Atlas* ist die arabische Bezeichnung für ein glattes, hochglänzendes Seidengewebe von geringer Qualität.

6,10 *magistermäßigen:* schulmeisterlichen.

6,13 *Linkischen Bade:* ein beliebter Ausflugsort außerhalb Dresdens, eine Art Gartenlokal mit hohen Linden und Lauben. Dort trafen sich die eleganten jungen Leute der

Hauptstadt an Sonn- und Feiertagen beim Konzert.
Von einer Anhöhe aus hatte man einen prächtigen Blick
über die Elbauen. Das Schauspielhaus, in dem Hoffmann dirigierte, lag ganz in der Nähe (vgl. HKA
I,495 f., Maassen).

6,29 *Bouteille:* (frz.) Flasche.

6,32 *der fatale Tritt:* der verhängnisvolle Tritt.

7,2 f. *Unter einem Holunderbaume, der aus der Mauer
hervorgesprossen:* Unter dem erwähnten *Holunderbaum*
am *freundlichen Rasenplätzchen* am Elbufer bei Dresden begegnet Anselmus wenig später zum ersten Male
dem Wunderbaren. Der Volksaberglaube schrieb seinem
betäubenden Blütenduft magische Wirkungen zu. Jaffé
(S. 301 f.) erinnert an die Mythen vom Weltenbaum,
vom Baum des Lebens und der Unsterblichkeit, auch an
die Vorstellungen primitiver Völker, die sich Bäume als
beseelte und belebte Individualitäten vorstellten. Das
Handwörterbuch des deutschen Aberglaubens (Bd. 4,
S. 262 f.) beschreibt die Eigenschaften des Holunder-
baums: »Er gilt als ein Baum des Lebens, weshalb man
ihn gern zum Schutz neben die Häuser pflanzt; er ist
aber auch ein Baum des Todes, weil die Seelen der Ab-
geschiedenen in ihm wohnen und er darum häufig auf
Friedhöfen zu finden ist. In der Legende erscheint er
von göttlicher Natur, weil die Jungfrau Maria einst die
Windeln des Christkinds unter ihm wusch; und zugleich ist er ein Baum des Bösen; so bezeichnet das
Wort ›Hölderlin‹ nicht nur den Holunderbaum, sondern auch den Teufel« (Zusammenfassung bei Jaffé,
S. 302). Hoffmanns Holunderbaum im *Goldnen Topf*
enthält vermutlich eine Anspielung auf Kleists *Käthchen von Heilbronn:* Der Ritter vom Strahl findet das
somnambule Käthchen unter einem Holunderbaum,
und Hoffmann, der als Bühnenbildner an der Bamberger Erstaufführung (1812) mitwirkte, fühlte sich
durch »Kätchen« in »eine Art poetischen Somnambulis-

mus« versetzt (an Julius Eduard Hitzig, Bamberg, 28. April 1812; B I,335).

7,5 *Sanitätsknaster:* Knaster: eigtl. Bezeichnung für feinen Varinastabak, abgeleitet von span. *canasto* ›Rohr‹ bzw. ›Korb‹, weil der Tabak früher in Rohrkörben versandt wurde. *Sanitätsknaster* ist hier ein Studentenausdruck aus dem 19. Jh., eine Bezeichnung für schlechten Tabak, deren verächtlicher Beiklang durch das vorgesetzte *Sanitäts-* vermutlich noch verstärkt wurde.

7,8–13 *hinter demselben streckte … Böhmerlande:* Diese Schilderung ist fast wörtlich dem Brief entnommen, den Hoffmann am 13. Juli 1813 aus Dresden an seinen Bamberger Freund Dr. Friedrich Speyer (1780–1839) schrieb: »In Dresden wohne ich – auf dem Lande! – d. h. vor dem schwarzen Thore auf dem Sande in der Allee, die nach dem Linkischen Bade führt. Aus meinem mit Weinlaub umrankten Fenster übersehe ich einen großen Theil der herrlichen Elbgegend [...]. Gehe ich nur zwanzig Schritte von der Thüre fort [...], so liegt das herrliche Dresden mit seinen Kuppeln und Thürmen vor mir ausgebreitet, und über denselben ragen die fernen Felsen des Erzgebirges hervor« (B I,398).

7,16 *zu allem möglichen Kreuz und Elend geboren:* Vorausgesetzt, dass Hoffmanns Verleger Carl Friedrich Kunz (1785–1849) zutreffend berichtet, steckt in Anselmus' Klagelied der Rest einer schon »in Bamberg gefaßten Idee«. Die Figur des Anselmus ist nach Kunz einem Buch des Engländers James Beresford, *Menschliches Elend*, nachempfunden, aus dem Hoffmann Material zu einer Novelle über einen Pechvogel exzerpierte (vgl. dazu S. 114).

7,17 *Bohnenkönig:* einer, der am Dreikönigstag die in einen Kuchen eingebackene Bohne findet. Man huldigt ihm, er erteilt Befehle. Dafür muss er am nächsten Dreikönigstag ein Festmahl geben, bei dem wiederum die

Bohne bestimmt, wer König wird (vgl. HKA I,496, Maassen).

7,22 *Kümmeltürke:* Prahlhans, Großsprecher. Auch Bezeichnung für einen Studenten aus dem Bannkreis der Universitätsstadt Halle; dort hielt sich auch Anselmus auf (7,29 f.). Der Spitzname »Kümmeltürke« hängt auch mit dem Kümmelanbau im Saalekreis zusammen (vgl. Kluge, S. 412). Als »Kümmeltürke« galt dann in der Studentensprache ein Student, der in einem Umkreis von zwei Meilen um die Universitätsstadt beheimatet war (vgl. HKA I,496, Maassen).

7,33 *Laminge:* Lemminge, Wandermäuse, die stets geradeaus ziehen, ohne Hindernissen auszuweichen. Lieber lassen sie sich totschlagen.

7,34 *Kollegium:* hier: Vorlesungsstunde an der Hochschule.

8,12 *Zopf:* Die Zopfperücke des Rokoko löste den durch Friedrich Wilhelm I. (1688–1740) im preußischen Heer eingeführten Männerzopf ab. Mit der »Zurück-zur-Natur«-Bewegung der Französischen Revolution fielen auch die Männerzöpfe. 1817 verbrannten Studenten beim Wartburgfest u. a. auch einen Zopf als Zeichen der verhassten Reaktion. Als Symbol des reaktionär-absolutistischen Staates verhöhnte ihn noch Joseph von Eichendorff in seinem allegorischen Märchen *Libertas und ihre Freier* (1849; Erstdruck: 1864). – Der *Geheime Rat, der verschnittenes Haar nicht leiden mag* (8,10 f.), ist demnach ein Anhänger der alten Ordnung (vgl. Kluge, S. 888).

8,18 *Sandbüchse:* Büchse mit Streusand, der bis zur Erfindung des Fließpapiers als Trockenmittel für Tinte verwendet wurde.

8,20 *Relation:* Bericht.

8,29 *Marqueur:* eigtl. Anschreiber beim Billardspiel; hier: Kellner.

9,5 *Donauweibchen:* romantisch-komische Oper von Fer-

dinand Knauer (1751–1831): *Das Donauweibchen*; 1799
in Wien uraufgeführt. Der Text stammt von Karl Friedrich Hensler. Th. Berling dichtete für die Seconda'sche
Truppe einen dritten Akt dazu. Der Kapellmeister Bie-
rey, ein Vorgänger Hoffmanns, vertonte ihn 1802 (vgl.
HKA I,496, Maassen).

9,27 *Zwischendurch – zwischenein … Schwesterlein:* Das
Wesen des Erzählvorgangs der ersten elf Vigilien liegt
nach Preisendanz darin, dass vor allem an der Gestalt
des Helden immer wieder die Duplizität des irdischen
Seins zutage tritt. Anselmus gerät in einen Zwiespalt,
weil sein besseres Selbst ein »versteckter Poet« ist und
die »qualitativ potenzierte Welt beständig auf das Ge-
meine, Gewöhnliche, Bekannte, Endliche reduziert«
wird. Alles Wunderbare im *Goldnen Topf* kann als
»qualitative Potenzierung der Wirklichkeit durch die
Kraft der Imagination oder auch aus Traum, Rausch,
Fieberdelirium« erklärt werden. Umgekehrt gibt es kein
Märchenhaftes, ohne dass sein »empirisches Substrat«
offenkundig wird. Die Weise, in der im Gesang der
Schlänglein ein höheres Sein erscheint, ohne sich zum
deutlichen Bild zu gestalten, ist die des Traums. Sobald
das Gehabe der Schlänglein vom fernher rufenden Lindhorst ein *Gemunkel und Geflüster* genannt wird, stellt
sich der ironische Ton ein, der das Wunderbare in Frage
stellt (vgl. Preisendanz, S. 95–99). – In der 2. Vigilie steigert sich die Ironie zur Illusionsdurchbrechung. Eine
ehrbare Bürgersfrau zweifelt an Anselmus' Verstand;
ihre trockene Bemerkung *Der Herr ist wohl nicht recht
bei Troste!* (12,6) wirkt auf ihn, als werde er *mit eiskaltem Wasser begossen* (12,25).

10,2 f. *nur der Abendwind, der … flüstert:* Anselmus
sucht für die seltsame Erscheinung eine rationale Erklärung; einem Volksmärchen-Helden dagegen wäre die
Begegnung mit dem Übernatürlichen etwas Selbstver-
ständliches (vgl. Pikulik, S. 348).

10,5 *Dreiklang heller Kristallglocken:* Nach der geheimnisvollen Prophezeiung des Äpfelweibs *ins Kristall bald dein Fall* (5,20) durchziehen Wortbildungen mit »Kristall-« leitmotivisch das Umfeld von Lindhorst und Serpentina als Attribut des Wunderbaren: als *Kristallglocken, Kristallspiegel, Kristallenstrahlen, Kristallflasche* und als *Kristall* der Quellen und Bäche in Atlantis.

10,6 f. *drei in grünem Gold erglänzende Schlänglein:* Jaffé deutet die Erscheinung der drei Schlänglein tiefenpsychologisch, und zwar als Projektion archetypischer Bilder des Unbewussten, als eine Halluzination, die einen Menschen in äußerster Verlassenheit überfällt. Die singende, flüsternde Schlange entspricht nach Jaffé der Märchenfigur Melusine, der Schlangenjungfrau oder Nixe, die den Mann als gefährliche Geliebte verlockt. Die »Dreischlänglein« bilden eine ähnliche Einheit wie die antike Triade der Quellnymphen. Als Verkörperung des archetypischen Seelenbildes des Mannes, der »Anima«, wäre demnach das weibliche Dreischlänglein eine kompensatorische Personifikation zum Bewusstsein des Mannes (vgl. Jaffé, S. 304–306).

10,12 f. *tausend funkelnde Smaragde:* Der Smaragd bzw. die »Farbe dieses dunkelklaren spiegelnden Steines« (Stegmann) bildet eines der Leitmotive im *Goldnen Topf.* Seine Varianten sind: *Smaragdregen, Smaragdring, smaragdener Spiegel, smaragdene Palmblätter.* Seit der Holunderbusch-Vision ist der Smaragd vor allem Serpentina, der »grünen Schlange«, als Symbol des »klaren Selbstbewußtseyns« (Schubert) zugeordnet. Später entdeckt Anselmus im Spiegel des Smaragdblattes den in ihm verborgenen inneren Poeten (vgl. Stegmann, S. 89–92).

10,19 ff. *ein Paar herrliche dunkelblaue Augen blickten ihn an …:* s. S. 76 f.

11,7 f. *ihr Duft war wie herrlicher Gesang von tausend*

Flötenstimmen: Die Vermischung von verschiedenen Sinnesqualitäten zu »Synästhesien« ist ein beliebtes romantisches Stilmittel.

Zweite Vigilie

12,6 *Der Herr ist wohl nicht recht bei Troste:* vgl. Anm. zu 9,27.

12,25 *mit eiskaltem Wasser begossen:* vgl. Anm. zu 9,27.

13,3 f. *Lamentier':* lamentieren: (umgangssprachlich) laut jammern, jammernd um etwas betteln.

13,5 *vexier':* vexieren (lat.): hier: necken, die Leute zum Narren halten.

13,13 *Mann Gottes:* Der *Familienvater* hält Anselmus seines Frackes wegen für einen Theologiestudenten. Nach Wöllner (S. 74) ist Anselmus Student der Rechte.

13,34 f. *bei dem Kosel'schen Garten:* Der Cosel'sche Garten befand sich auf dem sog. Neuen Anbau in der Dresdner Neustadt. Ungefähr zu der Zeit, als Hoffmann nach Dresden kam, wurde er in einen öffentlichen Wirtschaftsgarten verwandelt. Mittwochs und sonntags fanden dort Konzerte statt (vgl. HKA I,496, Maassen).

14,7 *Konrektor Paulmann:* Im gewollten Gegensatz zum Volksmärchen stellt Hoffmann seine Märchenfiguren mit ihren bürgerlichen Berufen vor.

14,18 *bei dem Anton'schen Garten ein Feuerwerk:* Der Anton'sche Garten lag auf dem anderen Ufer der Elbe, dem Cosel'schen Garten genau gegenüber (vgl. HKA I,496, Maassen). – Am 10. August 1813 wurde zu Ehren Kaiser Napoleons, der sich bei seinen Truppen in Dresden aufhielt, ein Geburtstagsfeuerwerk abgebrannt. Wie eine Briefstelle beweist, hat es Hoffmann zur Schilderung im *Goldnen Topf* angeregt (an Kunz in Bamberg, 12. August 1813; B I,406).

15,10 *gravitätischen:* ernsten, würdevollen, gemessenen.

16,26 *Frakturschrift:* Schreib- und Druckschrift mit gebrochenen, verschnörkelten Linien, sogenannte deutsche Schrift, als Gegensatz zu der geradlinigen Antiqua, der sog. Lateinschrift. Eine *lateinische Frakturschrift* ist eigentlich ein Widerspruch in sich.

16,29 *zu den Poeticis:* (lat.) zur Dichtkunst.

17,17 f. *Phantasmata:* (griech.) Trugbilder.

17,20 f. *Blutigel, die man, salva venia, dem Hintern appliziert:* Blutigel: Blutegel. – salva venia: (lat.) mit Verlaub zu sagen. – Hoffmann macht sich hier über Friedrich Nicolai (1733–1811) lustig bzw. über seine Abhandlung »Beispiel einer Erscheinung mehrerer Phantasmen« in der *Neuen Berliner Monatsschrift* 1, (1799) S. 321 ff. (Nachdr. in Nicolais *Philosophischen Abhandlungen*, Bd. 1, Berlin 1808). Laut Maassens Nachweis (HKA I, 496 f.) berichtet Nicolai von Trugbildern, die sich wie lebendige Gestalten unterhielten und auch den Kranken anredeten. – Die Anwendung von Blutegeln bei ekstatischen Zuständen war in der zeitgenössischen Medizin durchaus üblich. – Ellinger erwähnt, dass Nicolais Abhandlung besonders durch Goethes Spott in der Walpurgisnacht in *Faust I* (1808) bekannt geworden war (vgl. *Fantasie- und Nachtstücke*, S. 789, Anm.).

17,29 *frugalen:* kärglichen.

18,7 f. *Bravour-Arie vom Kapellmeister Graun:* Karl Heinrich Graun (1701–1759) wurde 1740 Hofkapellmeister Friedrichs des Großen. Er richtete mit italienischen Kräften die Berliner Oper ein, für die er etwa 30 Werke in italienischer Manier komponierte. Seine Kirchenkompositionen zählen zu den wichtigsten Schöpfungen des empfindsamen Stils.

18,9 *akkompagnierte:* begleitete.

18,9 f. *fugiertes Duett:* Lied für zwei Stimmen mit ineinander verschlungenen Melodien.

18,23 *Antiquar:* Altertumsforscher.

18,25 *Archivarius Lindhorst:* Die Einführung dieser Figur ist ein Musterbeispiel für ›perspektivisches Erzählen‹.

Anselmus hat, ohne zu wissen, um wen es sich handelte, schon während der Holunderbaum-Vision Lindhorsts Stimme vernommen. Jetzt wird er ihm von einer Randfigur als reicher Sonderling beschrieben. Im Ablauf der Erzählung treten immer neue Züge hinzu, die Lindhorst in stets anderer, verwirrender Beleuchtung erscheinen lassen.

18,31 *koptischer … Zeichen:* Die koptische Sprache ist die jüngste Entwicklungsform des Ägyptischen. Ihre Schrift verwendet das griechische Alphabet, dazu einige volkstümliche Schriftzeichen.

18,36 *Pergament:* kostbares, seit der Antike gebräuchliches Schreibmaterial aus ungegerbten Tierhäuten. Erst nach und nach wurde es durch das von den Arabern erfundene Papier verdrängt.

19,4 *Speziestaler:* zu Hoffmanns Zeit amtliche Bezeichnung für verschiedene Arten vollwertiger Talermünzen.

19,26 f. *wahre Passion, mit mühsamem kalligraphischen Aufwande:* Anselmus ist demnach – wie Hoffmann selbst – Schönschreiber aus Leidenschaft.

19,34 *Heller:* um 1200 silberner Pfennig der königlichen Münze Schwäbisch-Hall. Im 18. Jh. wurde der Heller zur Kupfermünze und zum Inbegriff der kleinstmöglichen Bargeldstückelung. Das spiegelt sich in der Redensart »keinen roten Heller mehr besitzen«.

20,16 *Conradis Laden:* Nach dem Adressbuch von 1812 befand sich in der Dresdner Schlossgasse, Hausnummer 252, eine Konditorei von Wilhelm Conradi (vgl. HKA I,497, Maassen).

20,23–32 *bronzenen Türklopfer … Narre!:* Charles Dickens (1812–1870) hat das Motiv vom Türklopfer, der sich in ein Gespenstergesicht verwandelt, für sein *Christmas Carol in Prose* (1843) kopiert.

Dritte Vigilie

21,23–23,33 *»Der Geist … Königin des Tals«:* Lindhorst
erzählt einem verständnislosen Stammtischpublikum in
einem *gewissen bekannten Kaffeehaus* (26,21 f.) den ersten Teil der in das Märchen eingeschobenen Atlantis-
Mythe. Sie übersetzt die naturphilosophischen Spekulationen Friedrich Schellings, die Hoffmann auf dem
Umweg über Gotthilf Heinrich Schubert kennen lernte,
in poetische Bilder (vgl. Kap. III). Hoffmanns Mythenstiftung folgt damit unbeabsichtigt einer Forderung
Schellings, der vom Dichter die »Schaffung einer neuen
Mythologie« (Bollnow) verlangt. Vgl. auch S. 101–104.

21,27–30 *die Granitfelsen … das Tal schützend, bis es die
Sonne … wärmte:* In Sonne und Erde wiederholt sich
das Anfangspaar von Geist und Wasser. Gleichzeitig mit
dem Erdgebirge unten übernimmt die Sonne als Gegenspielerin in der Höhe ihre Rolle in der Schöpfung (vgl.
Jaffé, S. 482).

22,8 f. *ein schwarzer Hügel, der hob sich auf und nieder
wie die Brust des Menschen:* Jaffé sieht hier umrisshaft
die Erde als riesenhafte Muttergestalt. Ihre *glühende
Sehnsucht* (22,9) gilt der Sonne, d. h., die dunkle Materie
strebt zum Licht und versucht die Gegensätze zu über-
brücken. Der von Atem bewegte Hügel ist wie von einem Hauch beseelt; die Materie gewinnt Leben, ja Geis-
tigkeit. Hier knüpft Hoffmann an der platonischen
Lehre von der »Weltseele« an, von der in die Materie
gefallenen Psyche. Diese Idee erneuerte Schelling mit
seiner Naturphilosophie (vgl. Jaffé, S. 482–487).

22,10 *rollten die Dünste empor:* Bollnow deutet auch die
Dünste, die das Angesicht der Mutter Sonne *feindlich
zu verhüllen* (22,12) streben, als drittes, widergeistiges
Prinzip (vgl. Bollnow, S. 212).

22,19 *Feuerlilie:* Als Kind von Sonne und Erde bricht eine
Blume aus dem schwarzen Hügel. Blüten, die dem

Licht gleichsam antworten, spielen in verschiedensten Mythen eine zentrale Rolle: Der indische Lotos, der dem Nabel Wischnus entsprießt, birgt den Schöpfer Brahman. Im ägyptischen Mythos entsteigt der Sonnengott zu Beginn der Schöpfung einer Lotosblüte. Auch in der chinesischen Alchimie spielt eine »goldne Blüte« eine wichtige Rolle. Der deutsche Frühromantiker Novalis wiederum hat das Symbol der »blauen Blume« erdacht, aus deren Kelch sich Mathildes Gesicht Heinrich von Ofterdingen voll Sehnsucht entgegenneigt. In Goethes *Märchen* verwandelt eine Lilie das Lebendige zu Stein und erweckt alles Tote zum Leben. Ähnlich ambivalent ist auch Hoffmanns Feuerlilie: hinter ihrer Schönheit verbirgt sich ein Drache (vgl. Jaffé, S. 490–493). – Für Mühlher ist die Lilie ein Symbol der Anschauung und das mit ihr verknüpfte Feuersymbol Sinnbild des Verlangens. Die Feuerlilie deutet er als »Symbol für die elementare, vegetative wie kosmische Sehnsucht als Urform und Puppenstand des Menschen« (vgl. Mühlher, »Liebestod und Spiegelmythe«, S. 49f.).

22,23 *der Jüngling Phosphorus:* Phosphorus, lat. Lucifer (›Lichtbringer‹), heißt die als Morgenstern aufziehende Venus in der antiken Mythologie der Sternbilder. Die frühchristliche Legende setzt den Planeten mit dem aus dem Himmel gestürzten Satan gleich. – Hoffmann verdankt die Anregung der Phosphorus-Mythe vermutlich Zacharias Werner (1768–1823). In dessen Drama *Die Söhne des Tals* (1803) liest der Alte vom Carmel eine Phosphorus-Mythe vor, die Parallelen zum Schicksal des Archivarius Lindhorst enthält. Wesentliche Einflüsse stammen aus der Naturphilosophie G. H. Schuberts (vgl. S. 97f. und Mühlher, »Liebestod und Spiegelmythe«, S. 55–60; Näheres über Phosphorus bei Werner: Jaffé, S. 499–506).

22,30 *der Sinn wird die Sinne gebären:* Mühlher sieht in der Warnung des Phosphorus einen Hinweis auf die aus dem Naturganzen herausgelöste Sinnlichkeit (»Liebestod und Spiegelmythe«, S. 53). Jaffé interpretiert sie psychologisch: »erst mit dem Erwachen des Bewußtseins, mit dem Erfassen des Sinnes, wird die Liebe zwischen Mann und Frau zu einem Problem schmerzlicher Konflikte«. Je stärker die Gegensätze der Bewusstheit erlebt würden, desto größer sei die Gefahr der Dissoziation, der Selbstauflösung (vgl. Jaffé, S. 509).

22,34 *Dieser Funke ist der Gedanke:* Mühlher deutet das Licht, das den Funken, d. h. den Gedanken ausstrahlt, als das Licht des begrifflichen Denkens, das Licht des Bewusstseins. Auch bei Hoffmann sei der Funke die Kraft, das Göttliche im Elementaren zu schauen (»Liebestod und Spiegelmythe«, S. 51). Ähnlich interpretiert Bollnow (vgl. S. 88).

23,3 f. *loderte sie auf in Flammen:* s. S. 97 f.

23,12 *ein schwarzer geflügelter Drache:* Das Symbol des Drachen hat die Interpreten zu den verschiedensten Deutungen angeregt. Egli weist darauf hin, dass es für den Drachen bei Schubert kein Vorbild gibt. Doch sei der Drache für die göttliche Entwicklung im kosmischen Geschehen notwendig und diene der Überwindung des Dualismus zwischen Geist und Sinnlichkeit (vgl. Egli, S. 76 f.). Auch für Bollnow ist der Drache die Verkörperung des bösen Prinzips (vgl. S. 89). Auf die Metalle als Symbol des profanen Erdgeistes und die chthonische (d. h. erdhafte) Gebundenheit der aus dem Naturganzen gelösten Sinnlichkeit hatte schon Mühlher hingewiesen (vgl. »Liebestod und Spiegelmythe«, S. 53). Jaffé setzt den Drachen als »Archetyp« mit der Riesenschlange an Lindhorsts Haus gleich (vgl. 21,4 f.). Sie sieht in ihm ein Symbol für Dunkelheit und Schwere und deutet die Gestalt des geflügelten Drachen als den Schatten der Seele, als chthonische Seite der Natur (Jaffé, S. 525 f.).

23,16 *erhaschte endlich der Drache das Wesen:* Die Lilie

erfährt nun ihre Polarität; sie spürt, dass der Drache
ebenso zu ihr gehört wie die Leichtigkeit des fremden
Wesens. Damit wird die Lilie zum Bild »für die in einem aufs äußerste gespannten Konflikt stehende Seele«
(vgl. Jaffé, S. 526 f.).

23,22 f. *Der Jüngling Phosphorus legte eine glänzende
Rüstung an:* Durch den »Kampf des Bewußtseins gegen
die bedrohliche Dunkelheit des Unbewußten« bzw. des
»Geistes gegen die Natur« (Jaffé, S. 259), befreit Phosphorus die Lilie aus der Gewalt des Drachen: »Wenn
das mehr als ein unverbindliches Märchenmotiv sein
soll, so kann das nur die Wiederherstellung der Einheit
in einer höheren Form des Bewußtseins bedeuten«
(Bollnow, S. 214). Die Einheit ist zerbrechlich. Denn die
Lilie bleibt nur gesund, solange die Elementargeister
den Drachen gefangen halten (vgl. Bollnow, S. 214).
Deshalb ist mit dem Verschwinden des Drachen das
mythische Geschehen noch nicht zu Ende. Im zweiten
Teil (Serpentinas Erzählung in der 8. Vigilie, S. 66,36–
71,30) wiederholen sich die Geschehnisse und dringen
bis zur Welt des Menschen; denn der Mythus stellt einen einzigen Prozess allmählicher Verwirklichung, d. h.
im psychologischen Sinne der Bewusstwerdung dar
(vgl. Jaffé, S. 533).

23,33 f. *Erlauben Sie, das ist orientalischer Schwulst:* Hoff-
mann zerschlägt absichtlich die feierliche Stimmung; er
treibt »Illusionsdurchbrechung« durch »romantische
Ironie«. – Die Behauptung Heerbrands, Lindhorst ver-
zapfe »orientalischen Schwulst«, spielt auf Ludwig
Tiecks *Zerbino* (1799) an: »Er trägt orientalischen
Schwulst vor« (1. Akt; Nachweis Ellingers). Siehe auch
S. 75 f.

24,32 *Desperation:* Verzweiflung.

24,36 *Onyx:* (griech.) schwarzer Halbedelstein, eine Abart des Quarzes.

25,6 f. *einen ... mystischen Karfunkel:* Der Karfunkel ist

ein edler Granatstein; volkstümlich gilt er als Sinnbild strahlender Helle. Der Karfunkel, den Lindhorsts Bruder zu bewachen hat, besitzt vermutlich geheimwissenschaftlich bedeutsame Eigenschaften.

25,8 *Nekromant:* Toten- bzw. Geisterbeschwörer.

Sommerlogis: Sommerwohnung.

25,12f. *zu erzählen, was es gutes Neues an den Quellen des Nils gibt:* Lindhorst verlegt bedenkenlos die Quellen des Nils aus dem abessinischen Hochland in einen Zypressenwald bei Tunis.

25,29–26,34 *Der Konrektor Paulmann ... ohne Raison:* Die Rückblende rationalisiert die märchenhaften Erlebnisse des Anselmus mit dem Türklopfer und der Riesenschlange an Lindhorsts Haustür (vgl. 20,23–21,15) als Ohnmachtsanfall. Der so hergestellte ambivalente Schwebezustand zwischen Märchen und Wirklichkeit bleibt letztlich unauflöslich.

25,34 *Portechaise:* (frz.) Sänfte, Tragstuhl.

26,2 *vermaledeite:* verfluchte.

26,11 *blauäugige Veronika:* Das Bürgermädchen Veronika hat dieselben blauen Augen wie das Schlangenwesen Serpentina (vgl. 10,19 und 16,35f.).

26,21f. *ein gewisses bekanntes Kaffeehaus:* Hoffmann treibt, wie so oft, ein Vexierspiel mit autobiographischen Details. Gemeint war vermutlich das Café Eichelkraut auf dem Dresdner Altmarkt, Ecke Seegasse. Dort traf sich Hoffmann täglich, die Theatertage ausgenommen, mit dem Dichter Friedrich Laun (Pseudonym für F. Schulze, 1770–1849) und Friedrich Kind (1768–1843), dem Librettisten des *Freischütz* (vgl. HKA I,497, Maassen; Maassen bezieht sich auf einen Brief an Kunz in Bamberg vom 17. November 1813).

26,30 *zur Raison bringen:* zur Vernunft bringen. Unter ›Vernunft‹ versteht Paulmann die Eingliederung in ein solides bürgerliches Erwerbsleben und den Verzicht auf unnütze Phantastereien.

27,7 *den dreieckigen soldatischen Hut:* Lindhorst trägt einen Dreispitz wie der Alte Fritz. Das Kostüm spielt für
die Charakterisierung dieser Märchenfigur eine wichti-
gere Rolle als bei anderen Figuren: der *weite lichtgraue
Überrock* (31,8f.) und der in *Gelb und Rot* glänzende
(48,36–49,1) bzw. mit *glänzenden Blumen bestreute
Schlafrock* (63,25f.) aus Damast (87,9), dessen vermutlich aufgestickte Lilien Lindhorst in der 10. Vigilie,
87,21f., als Wurfgeschosse verwendet. Zur Charakterisierung Lindhorsts gehören auch seine *raue, aber sonderbar metallartig tönende Stimme* (25,19), sein Sarkasmus (24,25–27), sein gleichsam verdoppeltes Gesicht
(vgl. Anm. zu 34,14–16) mit den stechenden, funkelnden Augen und sein aufwendiger Lebensstil.

27,14f. *»Wunderlicher alter Mann«, stotterte … Anselmus:* Die dialogische Verknüpfung der Personenrede ergibt eine Art Echo-Effekt und bekundet Erstaunen.

Vierte Vigilie

28,5 *Wohl darf ich … günstiger Leser:* s. S. 73 f.

29,21 *jenes herrliche Reich viel näher:* Die Beteuerung, das
Wunderbare liege in nächster Nähe, sei ein Teil der
Wirklichkeit und bedürfe nur des Glaubens, ist *der* zentrale Gedanke von Hoffmanns Märchenpoetologie (vgl.
auch Kap. IV).

30,2 *jenem merkwürdigen Holunderbusch:* Anselmus
zieht es immer wieder zu dem Holunderbusch, wo er
die erste Vision von den drei Schlänglein hatte (vgl.
31,1–6).

31,8f. *weiten lichtgrauen Überrock:* vgl. Anm. zu 27,7.

31,35f. *Gönner:* hier im Sinne von ›Anhänger, guter
Freund‹.

33,2f. *alle Gegenstände rings umher leise zu drehen anfin-
gen:* s. S. 82.

33,6f. *in wunderbaren Funken und Flammen blitzenden*

Stein: Der *smaragdene Spiegel* (28,2), ein Smaragdring, der Lindhorst Television erlaubt, steht offensichtlich mit dem Feuer in einer magischen Beziehung. Der Smaragd ist ein Kristall; der Kristall aber, mit seinen Varianten *Kristallglocke, Kristallspiegel* und *Kristallflasche*, bildet das wichtigste Leitmotiv im *Goldnen Topf. Kristall* im *Goldnen Topf* entstammt einer fantastischen Mineralogie, der Vorstellung, es sei aus verfestigtem Feuer entstanden. Die herrlichen Akkorde der *Kristallglocken* gehen aus den *in tausend Funken blitzenden* (33,17) Schlangenleibern hervor. Der *Kristallspiegel* in Lindhorsts Hand ist ein Gespinst aus Strahlen, die der Stein wie aus einem *brennenden Fokus* (33,12) umherwirft. – Die *Kristallflasche* (82,7), in die Anselmus in der 9. Vigilie gesperrt wird, entsteht aus erkaltenden *Feuer-Katarakten*, die aus den Rachen von Riesenschlangen strömen (81,33–36) (vgl. Wührl, *Die poetische Wirklichkeit in E. T. A. Hoffmanns Kunstmärchen,* S. 104–107). – Pikulik weist darauf hin, dass auch das *Kristall* der Quellen und Bäche in Atlantis nicht nur eine Metapher für Reinheit und Durchsichtigkeit ist, sondern tatsächlich flüssiges Kristall (100,4–6). Das gilt sinnentsprechend auch für die *Kristallenstrahlen* (48,13) in Lindhorsts Garten und bedeutet die Umkehrung des Versteinerungssymbols (vgl. Anm. zu 82,26–83,14). – Nach alter naturphilosophischer Lehre, aus der auch Hoffmann geschöpft hat, bildet sich Kristall über die Zwischenstufe Eis durch Erstarrung und allmähliche Versteinerung des Wassers. Wasser wiederum ist das Urelement der Schöpfung. In ihm tummeln sich die Nixen und Wassermänner, eine Hauptgattung zauberischer Wesen (vgl. Pikulik, S. 359 f.). Bestätigt wird diese Spekulation durch die Tatsache, dass Hoffmann in *Prinzessin Brambilla* (1820) ein Kristall zum Wasser der Urdarquelle zerfließen lässt; diese Quelle ermöglicht die Erkenntnis von der Einheit der Welt (ebd., S. 360).

33,23 f. »*O Serpentina, Serpentina!*«, *schrie der Student
Anselmus in wahnsinnigem Entzücken:* Jedes Mal, wenn
Anselmus die Sehnsucht nach Serpentina überfällt, gerät
er in Exaltation und reizt damit seine Umwelt, vor
allem Lindhorst, zu sarkastischen Bemerkungen (vgl.
50,10–13). Hoffmann, der »reisende Enthusiast«, erweist sich als ein distanzierter Erzähler, der wenig
Verständnis für Schwärmer aufbringt (vgl. Pikulik,
S. 351).

33,26 f. *fuhren in elektrischem Geknister die Strahlen in
den Fokus zurück:* Dem Spiegel wurden auf der ganzen
Welt zu allen Zeiten Zauberwirkungen zugeschrieben,
gleichgültig, ob es sich um die spiegelnden Flächen von
Wasser, Kristall, Metall, um die geölte Handfläche oder
das Auge handelt. Die Erfahrung, dass geschliffene, iri-
sierende, farbige, konkave und konvexe Reflektoren die
sichtbare Welt perspektivisch verzerren und dass das Fixieren solcher Spiegel einen seelisch Erregten in Trance
versetzen kann, fand Eingang in Märchen und Mythos,
Dichtung und Malerei, Magnetismus und moderne
Filmkunst (vgl. Stegmann, S. 86 f.). Im Aberglauben
kommt der Spiegel vor allem als »wissender Spiegel«
vor, d. h. als Welt- oder Sichtspiegel, der dem Beschauer
zeigt, was auf der Erde vorgeht (vgl. *Schneewittchen*).
Es gibt ihn auch als »Erdspiegel«, der die in der Erde
verborgenen Schätze zeigt. Als Künder der Zukunft hat
der Spiegel eine besondere Weihe. Daneben gibt es auch
den »wirkenden Spiegel«, der die Gefahr der Selbstbe-
zauberung birgt (vgl. *Narziss*). Vgl. *Handwörterbuch
des deutschen Aberglaubens*, Bd. 9 a, Sp. 547–577. Diesen Topos vom magischen Spiegel setzt Hoffmann leitmotivisch in seiner Privatmythologie ein und gewinnt
ihm immer neue wunderbare Varianten ab. – Als Instrument magischer bzw. »magnetischer« Beeinflussung
(vgl. 61,30–62,14) funktioniert auch der Metallspiegel,
den das Äpfelweib in der Äquinoktialnacht für Veroni-

ka gießt (vgl. 61,24–30). Auch der goldne Topf, diese kostbare Blumenvase (vgl. 100,20 f.), wirkt als magischer Spiegel; denn ein Erdgeist hat ihn mit Diamantenstrahlen so poliert, dass er das wundervolle Reich Atlantis spiegelt (vgl. 70,13–17).

34,14–16 *Blick der funkelnden Augen aus den knöchernen Höhlen ... wie aus einem Gehäuse:* Lindhorst, mit dem sich Hoffmann so weit identifiziert, dass er sogar einige Briefe als Archivarius Lindhorst unterzeichnet hat, ist eine Doppelpersönlichkeit aus Bürger und Geisterfürst. Diese Verdoppelung seines Wesens übersetzt er in ein einprägsames Bild: Die knöchernen Augenhöhlen wirken wie ein Gehäuse, das in das runzlige Gesicht eingebaut ist. Ähnlich charakterisiert Hoffmann das komplexe Wesen des Magiers und Arztes Prosper Alpanus aus *Klein Zaches* (1819).

34,27 *fatale Kreatur:* widerwärtiges Geschöpf.

34,28 *Possen:* Streiche.

34,34 *Liquor:* Flüssigkeit.

35,5–21 *nun schritt er rasch von dannen ... davongeflogen sein:* Die Schilderung dieser Metamorphose, einer der am faszinierendsten erzählten magischen Vorgänge der fantastischen Literatur, hat immer wieder die Interpreten verlockt, dem Dichter über die Schulter zu blicken. So will Sakheim in dem Feenmärchen *L'Oiseau bleu (Der blaue Vogel)* von Comtesse d'Aulnoy (1650–1705) eine Vorwegnahme der Schilderung des Verwandlungsvorganges entdeckt haben. Bei d'Aulnoy verwandelt sich ein schöner Ritter vor den Augen des Lesers in einen Vogel (vgl. Sakheim, S. 133). Michael von Albrecht (1961) fühlt sich gar an eine Vogelverwandlung in den Ovidschen *Metamorphosen* erinnert, Preisendanz (1963), Just (1964), Miller (1975), Willenberg (1976) versuchen, den Funktionszusammenhang im Ablauf dieses magischen Vorgangs Schritt für Schritt zu analysieren, ohne dass die Nachfolger von den Vorgängern Notiz genommen hätten. In Kapitel II,5 sind ihre Beobachtungen kombiniert und zusammengefasst.

35,33 *schnöder, unchristlicher Name:* Für Jaffé bricht mit der Erscheinung Serpentinas, die sie mit einer Hamadryade, einem heidnischen Baumgeist, gleichsetzt, ein Stück antiken Heidentums aus der Welt des Unbewussten in die Bereiche von Anselmus' christlicher Umfriedung ein. Anselmus ahnt, dass die Mächte, die nun ihr Spiel mit ihm treiben, alte heidnische Naturgeister sind. Auf seinem Weg nach innen kämpfen die christlichen Kräfte seines Bewusstseins und die archaischen Götter, die in seinem Unbewussten schlafen, um seine Seele. Davor erschrickt sein Bewusstsein (vgl. Jaffé, S. 332–337).

35,34 *Bassstimme:* Jaffé identifiziert die ärgerliche *Bassstimme* als die warnende Stimme des Gewissens, die das ganze Erlebnis und Serpentinas Namen als »schnöde« und »unchristlich« brandmarkt (vgl. Jaffé, S. 337). – Hoffmanns Charakterisierungstechnik, von der sparsamen Ausdrucksgebärde der Karikatur beeinflusst, reduziert Nebenfiguren häufig auf einen markanten Zug. Bei Dr. Eckstein z. B. entspricht dem die schrullige, abgehackte Sprechweise und die Wortkargheit (vgl. 62,18–20; 91,26–31).

Fünfte Vigilie

36,11 *applizieren:* anwenden; hier: zu etwas schicken.

36,25 f. *des Archivarii Konnexionen:* die gesellschaftlichen und beruflichen Verbindungen des Archivars.

36,31–37,1 *Habe ich's denn nicht schon immer gewusst:* Hoffmann entwickelt im Folgenden einen psychologisch überzeugenden Tagtraum; er ist so lebhaft, dass Veronika die Ebene des Traums nicht mehr von der Realität unterscheiden kann und aus der Traumebene heraus in die der Realität hineinhandelt, und zwar so in-

tensiv, dass Paulmann gegen ihr Benehmen protestiert
(vgl. 39,2). Sie entlarvt sich dabei als ein simples Bürgermädchen, dessen sozialer Ehrgeiz vor allem auf den
feudalen Titel eines Hofrats gerichtet ist. Ihre banalen,
materialistischen Lebenswünsche machen sie zur Ge-
genfigur Serpentinas. Mühlher sieht in dieser Gegen-
überstellung die Repräsentanten der »irdischen« und
der »himmlischen Liebe« und folgert: »Ohne Zweifel
hat Serpentina, die Anselmus-Hoffmann ›die ewig Geliebte meiner Seele‹ nennt, ihr Urbild in Julia Marc«
(vgl. »Liebestod und Spiegelmythe«, S. 74f.), d. h. in
Hoffmanns »ästhetischem Idol« aus den Bamberger Kapellmeisterjahren (vgl. S. 115). Darüber hinaus dürfte
auch Veronika einem Ich-Aspekt von Julia entsprechen
und eine Komplementärfunktion zu Serpentina erfüllen
(vgl. Anm. zu 73,25f.).

38,1 *Cicero de Officiis:* Das Buch *De officiis* (lat., ›Von
den Pflichten‹) des römischen Redners, Politikers und
Schriftstellers Marcus Tullius Cicero (106–43 v. Chr.),
als Mahnschrift an seinen in Athen studierenden Sohn
Marcus abgefasst, stellt Pflichterfüllung als sittliche
Aufgabe dar.

39,2 *Romanenstreiche:* Paulmann ist empört, weil sich Veronika so töricht wie eine Romanheldin benimmt.

39,14 *Alräunchen:* Der Alraun, die menschenähnliche
Mandragorawurzel, entsteht nach dem Volksaberglauben aus dem Samen, den ein unschuldig Gehenkter in
seiner Todesnot unter dem Galgen ergossen hat (vgl.
Frenzel, S. 516). Solche »Galgenmännlein« haben die
Fähigkeit, verborgene Schätze aufzuspüren. Die Figur
gelangte aus Grimmelshausens *Simplicissimi Galgenmännlein* (1673) zu Ludwig Achim von Arnim (1771–
1831), der sie in *Isabella von Ägypten* (1812) einführte.
Bei Arnim, der die Gewinnung des Galgenmännleins als
gespenstische Spukszene darstellt, wird der Alraun
Cornelius Nepos »Reichsalraun«, Finanzminister und

böser Geist des Kaisers Karl V. – Hoffmann hat auf den
Galgenmännlein-Aspekt verzichtet; sein Alräunchen ist
nur ein Kobold, die Personifikation einer inneren Ge-
genstimme.

39,29–31 *den Ofenaufsatz für eine Gestalt … gehalten:*
ein weiteres Beispiel für ambivalentes Erzählen: Die Erscheinung des Alräunchens wird als Sinnestäuschung
rationalisiert.

40,12–14 *Angelika … war mit einem Offizier verspro-
chen, der bei der Armee stand:* Angelika Osters Erzählung ist die einzige Stelle, die auf die für Hoffmann le-
bensgefährlichen Kriegsereignisse aus dem Herbst 1813
anspielt (vgl. auch S. 110 f.).

41,18 f. *hellpolierten Metallspiegel:* Die *alte Frau*, die
Rauerin bzw. das Äpfelweib, besitzt die Gabe der Spie-
gelwahrsagung (vgl. Stegmann, S. 86). Der Metallspiegel, den sie in der Herbstäquinoktialnacht gießt (vgl.
57,4–60,16), besteht aus allerlei unsauberen Materialien
und bildet das Gegenstück zu dem Kristallspiegel, den
Lindhorst als Smaragdring am Finger trägt. Veronika
benützt ihn später als Instrument magnetischer Beeinflussung (vgl. Anm. zu 61,30–62,13).

42,1–3 *Seetor … abgelegenen engen Straße … das kleine
rote Häuschen:* Wie Lindhorsts Haus ist auch die Proletarierkate des Äpfelweibs (vgl. 43,28) im Dresdner
Stadtplan genau lokalisiert. Sie stellt, ähnlich wie die
großbürgerliche Villa des Archivars, eine Enklave des
Wunderbaren in der Dresdner Wirklichkeit dar (vgl.
S. 61). Das Seetor befand sich am Ende der Seegasse; es
wurde 1821 abgetragen (vgl. HKA I,497, Maassen).

42,20 f. *Ein langes, hagres, in schwarze Lumpen gehülltes
Weib:* Das Äpfelweib ist, wie Archivarius Lindhorst
(vgl. Anm. zu 34,14–16) eine Doppelpersönlichkeit,
eine ambivalente Figur aus Kleinbürgerin und Hexe.
Mit bürgerlichem Namen heißt sie Liese Rauerin. Sie
war früher die Wärterin Veronikas (vgl. 44,36) und übt

auch jetzt als Marktfrau einen bürgerlichen Beruf aus. Allerdings bedient sie sich magischer Mittel, um ihre Einkünfte zu verbessern; denn ihre Äpfel, ihre *Söhnlein*, besitzen die neckische Eigenschaft, von selbst aus den Einkaufstaschen wieder in ihren Korb zurückzurollen (vgl. 44,3–5). Zugleich ist sie als mythisches Wesen, als kenntnisreiche Herrscherin über *feindliche Prinzipe* (vgl. 71,24 f.), in die Atlantis-Mythe integriert; denn sie stammt von einer Runkelrübe und einer Drachenfeder ab (vgl. 71,16–18). Als Hexe bedient sie sich der Maske des Äpfelweibs. Hoffmanns Hexe, die mit jener aus *Hänsel und Gretel* die Hässlichkeit gemeinsam hat, schließt sich an den Volksaberglauben an: ihr Wappentier ist der schwarze Kater (vgl. 42,14 und 56,14). Bei Hoffmann ist sie allerdings keine Teufelsbündnerin.

42,32 *in das Zimmer hineinzog:* Veronika gelangt in einen unheimlichen Raum, der an die »Hexenküche« aus *Faust I* erinnert. Die Hexenküche verwandelt sich aber ebenso plötzlich in eine *»gewöhnlich ärmlich ausstaffierte Stube«* (43,28), wie das hexenhafte Weib Veronika als eine ehrbare Kleinbürgerin erscheint (vgl. 45,1–4) und sich wenig später als gewöhnliche Kupplerin entpuppt (vgl. 45,16–18).

43,35 *ich war ja die Kaffeekanne:* Hoffmann parodiert die Figur seiner »Hexe« nicht nur durch die burleske Abstammung (vgl. Anm. zu 42,20 f.), sondern er rückt sie auch ironisch in die Nähe der ›Kaffeetante‹ und des ›Kaffeeklatsches‹. Zweimal arrangiert er es, dass sie sich in eine *Kaffeekanne* (vgl. 85,17) verwandelt, in dieses Symbol bürgerlicher Behaglichkeit. Bezeichnenderweise trinken im *Goldnen Topf* die »bürgerlichen« Figuren Kaffee (Heerbrand, 16,22; Veronika, Fränzchen und die Mad. Osters, 40,11; Paulmann, Anselmus und Heerbrand, 75,34). Lindhorst dagegen zieht guten alten *Rheinwein* (52,26 f.) vor.

44,6 *Auripigment:* Hoffmann gefiel wohl der geheimnisvolle Klang dieses Worts. Es bezeichnet eine Apothekermischung aus Schwefel und Arsen, ein goldgelbes Pulver, das äußerlich bei Krebs, unreinen Schankergeschwüren und anderen Hautkrankheiten angewendet wurde. Auf gesunde Haut wirkt Auripigment nicht ätzend; nur als magische Waffe erzeugt es *zwei große Brandflecke* (42,28) im Gesicht des Apfelweibs (vgl. HKA I, 497 f., Maassen).

45,33 *Vaters Pudermantel:* Konrektor Paulmann trägt demnach eine Perücke, die immer wieder gepudert werden muss. Sein *Pudermantel* ist ein philiströses Gegenstück zu Lindhorsts Schlafrock, der die Verwandtschaft zwischen Phosphorus und dem Salamander betont, da er *in Gelb und Rot* glänzt (48,36).

46,9 *Nacht des Äquinoktiums:* hier die Tag- und Nacht-Gleiche am 23. September.

Sechste Vigilie

46,18–22 *»Es kann aber auch sein« … ängsteten:* Anselmus versucht wiederum, seine wunderbaren Erlebnisse zu rationalisieren, hier als Wirkung des Magenlikörs.

46,21 *tollen Phantasmata:* verrückten Einbildungen.

47,29 f. *er wusste nicht, an welche der vielen schönen Türen:* s. S. 60.

48,6 f. *Ein magisches blendendes Licht verbreitete sich überall:* Die ambivalente Erzählweise lässt widerspruchsvolle Auslegungen zu. Was Anselmus in der folgenden Episode erlebt, kann durchaus die Wirkung der sozialen Unterlegenheit des armen Studenten Anselmus sein, den das üppige Wohnmilieu des reichen Großbürgers Lindhorst als »märchenhaft« überwältigt (vgl. Preisendanz, S. 96).

48,20 *Feengartens:* eine Anspielung auf die üppigen Gärten in den französischen *contes de fées*, den »Feenmär-

chen«, die Wieland als Erzählgattung in die deutsche
Literatur eingeführt hat (vgl. auch S. 107 f.).

48,29 f. *in der gläsernen Perücke und den postpapiernen
Stülpstiefeln:* Aus Glas gesponnene Perücken hat es tatsächlich gegeben (vgl. HKA I,498, Maassen). Darüber
hinaus besitzt in Hoffmanns Symbolik der künstlich
hergestellte Werkstoff Glas minderwertige oder gar
schädliche Eigenschaften; denn im Gegensatz zu Kristall, Gold oder Edelstein entstammt er nicht der Urkraft
der Erde. Nach Pikuliks Deutung (S. 342 f.) verhöhnen
die Spottvögel im Garten des Archivars das »Gezierte
und Unechte bürgerlicher Mode«.

48,34–36 *schritt der Feuerlilienbusch auf ihn zu, und er
sah, dass es der Archivarius Lindhorst war:* Die Verwandlung des Feuerlilienbusches ist typisch für Hoffmanns Technik der Schwellenüberschreitung zum Wunderbaren: Statt räumlicher Veränderung vollzieht sich
eine Veränderung im Sehen. »Die Desillusionierung
wird zum Vehikel der Illusion, das verspätete jähe Erstaunen – das dem Märchen generell fremd ist – erweist
sich als der eigentliche Schritt aus der Realität in die
Phantastik, respektive aus dem Märchen wieder zurück
in den Alltag« (Miller, *E. T. A. Hoffmanns doppelte
Wirklichkeit*, S. 367). – Der Schlafrock betont Lindhorsts Abstammung von der Feuerlilie (vgl. Mühlher,
Liebestod und Spiegelmythe, S. 54).

49,8 *mokieren sich:* machen sich lustig.

49,34 *Porphyrplatte:* vulkanisches Gestein mit Einspreng-
seln von Alkalifeldspat und Quarz. Galt wegen seiner
Purpurfarbe (griech. *porphyreos*) als königliches Gestein
und durfte in der Antike nur für Herrschersarkophage
verwendet werden.

50,3–5 *sich selbst mit sehnsüchtig ausgebreiteten Armen –
ach! neben dem Holunderbusch:* Hier überlagern sich
Spiegelmagie und Seelenspiegelung. Der auf magische
Weise von einem *alten mürrischen Erdgeist* (68,36–69,1)

gefertigte goldne Topf (vgl. 70,12–20) evoziert Anselmus' Sehnsucht nach Atlantis und reflektiert zugleich
seinen Seelenzustand, die Sehnsucht nach Serpentina.
Für einen Augenblick, dem der Vision, sind Innen- und
Außenwelt identisch. Anselmus blickt dabei in den
blankpolierten goldnen Topf wie in einen Spiegel, und
dieses Motiv des Anstarrens von Spiegeln oder spiegelnden Gegenständen kommt in Hoffmanns Dichtungen
leitmotivisch vor. Seelisch erregte Personen, die Spiegel
fixieren, fallen in Trance, und ihre geheimen Sehnsüchte
oder Ängste, ja ihre eigene Person, erscheinen traum-
haft verändert im Spiegelbild (vgl. Stegmann, S. 86 und
88). Nun gehört es zu den Aufgaben Serpentinas, des
Elementargeistes, dem Menschen die Wunder der Natur
vor Augen zu führen. Der goldne Topf, der ihr gehört,
dient ihr dabei als magischer Spiegel (vgl. Mühlher,
»Liebestod und Spiegelmythe«, S. 77).

50,12 f. *hat soeben Klavierstunde:* Lindhorsts Sarkasmus
übergießt Anselmus, der in *wahnsinnigem Entzücken*
(50,7) aufgeschrien hat, weil in ihm die »Kraft des Enthusiasmus« (Mühlher) erwacht ist, gleichsam mit einem Kübel Wasser. Der trockene Einwurf reduziert
Anselmus' Idol zu einer simplen »höheren Tochter«.

50,19–21 *sich in keiner Art von gewöhnlichen Bibliothek-
und Studierzimmern unterschied:* vgl. Anm. zu 82,6 f.

50,34–36 *Der Archivarius hatte kaum das erste Blatt …
erblickt:* Lindhorst betrachtet Anselmus' Talentproben
mit ironischem, ja verächtlichem Lächeln. Der Student,
über die Geringschätzung empört, reagiert heftig, sieht
aber plötzlich selbst, dass seine Handschrift *höchst mi-
serabel* (51,18) ist. Die Episode veranschaulicht die sich
in Anselmus anbahnende innere Wandlung. Unter dem
Aspekt der höheren Erkenntnis gesehen, sind seine Arbeiten so wertlos, dass die ganze Schrift verschwindet,
sobald Lindhorst sie mit Wasser betupft. (Dieser Zug
dürfte dem »Klingsohr«-Märchen aus Novalis' *Hein-*

rich von Ofterdingen, 1802, entnommen sein; dort löscht Sophie die Aufzeichnungen des Schreibers in einer Wasserschale.) In einem intuitiven Moment vernimmt Anselmus, von der wahren Poesie im Reiche des Geisterfürsten berührt, die Stimme seines idealen Traum-Ichs, das die »Produkte des sich in eitler Selbstgefälligkeit sonnenden empirischen Ichs radikal verurteilt«. Vorläufig aber kopiert Anselmus nur die ihm unverständlichen *krausen Züge der fremden Schrift* (52,35), doch seine Erkenntnis der poetischen Welt nimmt zu (vgl. 63,8f.), und er beginnt über sein Alltags-Ich hinauszuwachsen (vgl. Stegmann, S. 90).

50,35f. *in der elegantesten englischen Schreibmanier:* in lateinischer Kurrentschrift (HKA I,489, Maassen).

53,28f. *Die ganze Gestalt war höher, würdevoller:* In der folgenden Episode verwandelt sich der skurrile, sarkastische Lindhorst in eine »Meisterfigur«, wie Hoffmann sie aus der zeitgenössischen Trivialliteratur, dem »Bundesroman« des 18. Jh.s, kannte. Ähnlich wie Sarastro in Emanuel Schikaneders (1751–1812) Opernlibretto zur *Zauberflöte* (1791), die Hoffmann sehr liebte und zur Entstehungszeit des Märchens mit der Truppe Joseph Secondas einstudierte, nimmt Lindhorst als »kluger Meister« (Thalmann) die Erziehung des Anselmus zum Dichter in die Hand. Er kündigt ihm an, dass er (wie Tamino) durch Prüfungen hindurch und *Glauben und Erkenntnis* (54,9) beweisen müsse, ehe er *die herrlichen Wunder des goldnen Topfs schauen und glücklich* sein werde (54,12f.). (Vgl. auch Beardsley, S. 13 und S. 94–96.)

54,3 *notwendige Mitgift:* Lindhorst stellt Anselmus, lebenspraktisch argumentierend, den goldnen Topf als Mitgift seiner Tochter in Aussicht. Eine solche Mitgift (ein Wunschtraum Hoffmanns) symbolisiert nicht nur die poetische Begnadung, sondern auch ein sehr handfestes Vermögen, das den angehenden Dichter Anselmus aller materiellen Sorgen enthoben hätte.

54,30 *blanken Speziestaler:* Lindhorst hat prompt bezahlt,
aber Anselmus ist von der Begegnung mit der Welt der
Poesie so erfüllt, dass er sich über den klingenden Lohn
gar nicht mehr freuen kann.

55,2 f. *ist der Gedanke denn was anders, als Serpentinas
Liebe?:* Mühlher benützt diese Stelle als Schlüssel für
die symbolische Bedeutung der Serpentina-Figur: Sie ist
für ihn »der Gedanke«, der als »Funke« einst die Lilie
und die grüne Schlange vernichtete, d. h. die Symbole
der reinen, ganzheitlichen Anschauung (vgl. »Liebestod
und Spiegelmythe«, S. 71). Für Stegmann (S. 88) ist die
grüne Schlange Serpentina das Symbol des »klaren
Selbstbewußtseins«.

Siebente Vigilie

55,28 f. *Romanhaften:* hier: romantischen.

57,27 f. / 59,27 f. *Ich wollte, dass du, günstiger Leser /
weder du! günstiger Leser, noch sonst jemand:* s. S.
73 f.

58,1 f. *im Goldnen Engel oder im Helm oder in der Stadt
Naumburg:* Alle drei Gasthöfe lagen in der Wilsdruffer
Gasse in Dresden. Die Nennung der *Stadt Naumburg*
gehört zu Hoffmanns verschlüsselten Privatspäßen: Hier
wohnte er vom 25. April bis zum 9. September 1813, als
er von Bamberg nach Dresden kam (vgl. HKA I,498,
Maassen, sowie Kapitel V).

59,4 *Höllenbreughel'schen Gemäldes:* Anspielung auf die
schauerlichen Nachtstücke des niederländischen Malers
Pieter Bruegel d. J. (1564–1638), der den Beinamen Höl-
len-Bruegel trug.

60,12 *der Student Anselmus aus der Tiefe des Kessels:* Der
Zauberspiegel der Hexe bildet das Gegenstück zum
goldnen Spiegel Serpentinas. Das Bild im Zauberspiegel,
das in der Tiefe des Kessels erscheint und zeigt, wie Anselmus Veronika die Hand reicht, entspricht dem Bild

Serpentinas, das Anselmus in der 6. Vigilie im goldnen Topf erblickt (vgl. Anm. zu 50,3–5). Beide sehen im magischen Spiegel ihre Wunschvorstellungen (vgl. Mühlher, »Liebestod und Spiegelmythe«, S. 78 f.).

61,1–9 *»alles nur ein ängstlicher Traum … geneckt hat«:* Wie Anselmus versucht auch Veronika, die wunderbaren Erlebnisse in der Äquinoktialnacht als Fieberträume zu rationalisieren.

61,24 f. *kleiner runder hell polierter Metallspiegel:* vgl. Anm. zu 33,26 f. Der Metallspiegel der Hexe entspricht bis in Details dem Kristallspiegel des Archivars; er ist ein beliebig gewähltes Beispiel für den strengen Formwillen, der die Struktur des Märchens beherrscht. Wie von Lindhorsts Smaragdring Strahlen aus dem *brennenden Fokus* (33,12) ausgehen, so schießen aus dem Metallspiegel *feurige Strahlen* (61,26).

61,30–62,13 *An den Anselmus musste sie denken … wie aus einem tiefen Traume:* Veronika benützt den Metallspiegel als Instrument magisch-magnetischer Beeinflussung. Hoffmann hat sich für das okkulte Phänomen des »tierischen Magnetismus« interessiert, mit dem Franz Anton Mesmer (1734–1815) so großen Erfolg als Arzt hatte. – Wie Anselmus die drei Schlänglein in Lindhorsts Smaragdspiegel erblickt hat (33,15 f.), so sieht Veronika Anselmus bei seiner Tätigkeit im Hause des Archivars und kann sogar seine Gefühle beeinflussen; sie ›magnetisiert‹ ihn durch das Fixieren ihrer Gedanken. In Anselmus bewirkt dies einen zwiespältigen, ihm unbegreiflichen Seelenzustand.

62,11 *als ein Schlänglein zu gebärden?:* Das Bild Veronikas schiebt sich in Anselmus' Innerem immer wieder über das Bild Serpentinas, ohne es ganz verdrängen zu können (vgl. Stegmann, S. 82). In der 9. Vigilie (vgl. 73,16–74,6) gelingt es Veronika, anscheinend durch magnetische Fernbeeinflussung, mit Hilfe des Metallspiegels (vgl. 74,34 f.) Anselmus zeitweilig von Serpentina loszureißen (vgl. 75,6 f.) und ihren Platz in seiner Seele einzunehmen.

Doktor Eckstein: vgl. Anm. zu 35,34.

Achte Vigilie

62,29–63,13 *diese Arbeitsstunden … größten Genauigkeit nachzumalen:* Nach Willenbergs Deutung hat Hoffmann das für die bürgerliche Gesellschaft so wichtige ökonomische Problem, d. h. den Zwang zur Arbeit, um das Dasein zu fristen, aus seiner Sicht eliminiert. Des Anselmus' Abschreibe-»Arbeit« erscheint hier nicht in ihrer pervertierten Form der Arbeitsteilung, sondern als sinnerfüllte Aneignung von ›Natur‹«. Umgekehrt sei für die Kreuzschüler und Praktikanten (vgl. 84,12–19) die Tätigkeit beim Archivarius »entfremdete Arbeit«; denn der Lohn diene ihnen nur als Mittel zur philiströsen Freizeitgestaltung. Anselmus arbeite zwar auch für Speziestaler, die er bitter nötig hat, aber der »phantasiebegabte Student« erlebe den »höheren Bereich der Phantasie, ja seine Tätigkeit besteht letztlich aus Dichten«. Dichten bedeute »unentfremdete Arbeit« zu leisten und die »Verstümmelung der borniertes Spezialisierung zu überwinden«. Es bedeute aber auch einen »individuellen Lösungsversuch«, der dann im Laufe des 19. Jh.s den Künstler-Mythos entstehen ließ. Es gehe darum, »angesichts der bürgerlichen Realität in die geschlossene Totalität des Märchens auszuweichen« (Willenberg, S. 111).

63,9 f. *Mit dem Abschreiben ging es sehr schnell:* vgl. Anm. zu 50,34–36.

63,28 f. *Bhogovotgitas Meister:* Anselmus soll sich nun mit den altindischen Dichtern und Weisen beschäftigen. *Bhagawadgita* ist ein didaktisches Gedicht aus dem indischen Nationalepos *Mahabharata.* Friedrich Schlegel, dessen Schreibweise Hoffmann übernimmt, sagt dar-

über: »Es ist dieses didaktische Gedicht ein beinah voll-
ständiger kurzer Inbegriff des indischen Glaubens, und
steht als solcher in hohem Ansehn« (*Über die Sprache
und Weisheit der Indier*, Heidelberg 1808, S. 286; vgl.
Anm. in: *Fantasie- und Nachtstücke*, S. 790; dazu HKA
1,498, Maassen).

63,34 f. *eigentlich in glänzenden Farben prunkende Insekten:* Das äußerst subjektive Raumerlebnis des Studenten
ist an seine Fortschritte und Rückschläge (vgl. 80,13–22)
auf dem Wege zum romantischen Dichter gekoppelt
(vgl. auch S. 75). Wollte man die Welt des Wunderbaren
(mit Willenberg) psychologisieren, könnte man sagen,
dass sie sich erst in Anselmus' Kopf aufbaut (vgl. Willenberg, S. 96).

64,14 *Toupet:* (frz.) Perücke für Herren.

64,36 *Palmbäume:* Nach G. H. Schuberts *Symbolik des
Traums* (1814) ist die Palme (auch Hoffmanns Familien-
siegel zeigt eine Palme; vgl. B II, neben S. 48) das my-
thologische Sinnbild der Erkenntnis. Anselmus' Aufgabe ist es, smaragdene Palmblätter abzuschreiben. Bei
diesem Vorgang sind Schlange und Palme einander zugeordnet (vgl. 66,11 f.). Anselmus aber wächst beim Lesen in die fremde arabeske Hieroglyphenschrift (vgl.
65,3–6) der Natur hinein, und aus den smaragdenen
Blättern der Palme weht ihn die Stimme Serpentinas,
des in ihm verborgenen Poeten, an. Serpentina, die Re-
präsentantin des Reiches Atlantis, ist das Symbol intui-
tiver Erkenntnis (aus der schließlich die Poesie erwächst). Anselmus erkennt sich also selbst im Spiegel
des Smaragdblattes; der Dichter in ihm erwacht (vgl.
vor allem Stegmann, S. 89–91).

65,27 *Magus:* Magier.

66,15 f. *dunkelblauen Augen:* vgl. Anm. zu 73,25 f.

67,10–14 *Dem Anselmus … Nerven zittere:* Anselmus
und Serpentina bilden eine mystische Einheit und Zweiheit. Serpentinas Stimme ist das Echo, das in Anselmus'

Innerem als traumhafte Offenbarung eines mythischen Geschehens widerhallt (vgl. Stegmann, S. 91 f.).

67,26–71,34 *Wisse also, Geliebter, … bald bist du am Ziel:* Serpentina erzählt den zweiten Teil der »triadisch«, d. h. als Dreierfigur entwickelten Atlantis-Mythe. Dieser zweite Teil wiederholt teilweise die Ereignisse des ersten und führt den einer Spirale gleichenden Differenzierungsprozess im Schicksal des Salamanders bis zur Welt des Menschen weiter. Der im Mythos angedeutete Prozess geht bei den weiblichen Figuren in einer aufsteigenden Linie über Wasser, Erde, Lilie und Schlange bis zum Tierreich, während die männlichen Figuren über Geist, Sonne, Jüngling Phosphorus im Salamander bis zum Tier heruntersinken (vgl. Jaffé, S. 533–535). – Als Strukturelement der Erzählung dient dieser Teil der Verknüpfung der in der Dresden-Handlung auftretenden Personen mit dem mythologischen Untergrund (vgl. Bollnow, S. 214).

67,31 *Elementargeister:* Nach alter Überlieferung sind die Elementargeister halbgöttliche Naturwesen, die in vierfacher Gestalt, als Salamander, Undinen, Sylphen und Gnomen die vier Elemente Feuer, Wasser, Luft und Erde bewohnen. Paracelsus hat in seinem *Liber de nymphis, sylphis, pygmeies, et salamandris et de caeteris spiritibus,* aus dem Fouqué für seine *Undine* (1811) schöpfte, eine ausführliche Elementargeisterlehre entwickelt. Zu Hoffmann gelangt der Motivkomplex über den Abbé de Montfaucon: *Graf von Gabalis oder Gespräche über die verborgenen Wissenschaften* (1670). Einen parodistischen Abriss der Elementargeisterlehre hat er in sein Märchen *Die Königsbraut* (1821) eingelegt. In Serpentina lebt, ähnlich wie in *Undine,* die Sehnsucht nach der Verbindung mit einem Menschen. Im Ablauf des Märchens gewinnt zwar das Schlangenwesen immer deutlicher die Gestaltumrisse eines Mädchens (vgl. auch S. 76 f.), doch hat Hoffmann den zentralen Zug des Un-

dine-Motivs, die »Hoffnung auf eine unsterbliche Seele«, im *Goldnen Topf* nicht näher ausgeführt (vgl. vor
allem Jaffé, S. 536–538). – Für Jaffé, die nach C. G.
Jung'schem Vorbild auch alchimistische Vorstellungen
zur Interpretation heranzieht, suchen die »Geister von
Atlantis, die lebendigen Inhalte des Unbewußten, [...]
die Bewußtseinswelt des Menschen, in welcher sie Erlösung zu finden hoffen«. Fasse man das Reich der Elementargeister als »Natur« auf, so vollbringe der Mensch
ein Erlösungswerk an dem (wie die Alchimie lehrt) »im
Stoffe gefangenen Geist« (vgl. Jaffé, S. 538).

67,31 f. *der Salamander, den er vor allen liebte:* An dem
Liebling des Geisterfürsten Phosphorus vollzieht sich
das »archetypische Schicksal der Menschwerdung« (Jaffé). Phosphorus ist zum Geisterfürsten, zum alten König, und die Feuerlilie zur Mutter geworden. Das mythische Geschehen ergreift nun eine neue Generation:
den Salamander und die grüne Schlange. Durch die
Wandlung der Gestalten, das Altern und Heranwachsen
einer neuen Generation, wird erstmals die Zeit im Mythos bedeutsam, aber als eine noch »unbestimmte Zeit«;
denn es bleibt ungewiss, wieviel Jahre oder Äonen seit
der Begegnung zwischen Phosphorus und der Lilie ver-
gangen sind (vgl. Jaffé, S. 539 f.). – Der Salamander ist
ein elementarer Feuergeist, ein Tierdämon voll wilder
Leidenschaftlichkeit; enge Wesensverwandtschaft verbindet ihn mit beiden Eltern der Geliebten. Als Eidech-
se stellt er zoologisch einen kleinen Drachen dar. Als
Feuergeist ist er, wie die Lilie, dem Feuer zugeordnet.
Die Feuernatur verbindet den Salamander aber auch mit
Phosphorus, dem Träger des brennenden und leuchtenden Funkens. Wie Phosphorus als Morgenstern oder
Venus (vgl. Anm. zu 22,23) Sternnatur besitzt, so ist der
Salamander mit seiner Sternenzeichnung auf dem Rü-
cken ein geheimer Lichtträger. In der Drachengestalt
des Salamanders verbirgt sich eine Lichtnatur, wie hin-

ter der Gestalt des lichten Jünglings Phosphorus ein dunkler Drache lauert (vgl. Jaffé, S. 539–543).

67,33 *des Phosphorus Mutter:* die Sonne; sie ist männlich und weiblich, Vater und Mutter zugleich (vgl. Jaffé, S. 566).

67,36–68,1 *Drücke fest die Äuglein zu, bis mein Geliebter, der Morgenwind, dich weckt:* Nach Egli hat Hoffmann hier einen »kosmischen Moment« im Sinne Schuberts (vgl. Kap. III) gestaltet. Das Zwiegespräch der Lilie mit der Schlange kündet von der Versunkenheit der Natur in sich selbst vor dem entscheidenden Augenblick, da ein neues Dasein aus den alten Formen geboren werden soll. Die Lilie genießt hier in letzter Kraftentfaltung das Vollgefühl der eigenen Individualität, ehe sich ihre Kräfte verzehren und die Auflösung herbeiführen, die vor der kosmischen Wandlung notwendig ist (vgl. Egli, S. 80).

68,12 *dass einst die Lilie meine Geliebte war:* Das Liebespaar im zweiten Abschnitt der Mythe steht sich geschwisterlich nahe; die Beziehung ist Inzest. Schlange und Salamander, mit ihrer Tier- und Kaltblüternatur, sind nahe verwandt (vgl. Jaffé, S. 543 f.).

68,21 *achtete der Warnung des Geisterfürsten nicht:* Der Ungehorsam des Sohnes gegen den Vater hat neues Werden zur Folge. Auch in der biblischen Erzählung vom Paradies werden die Menschen, weil sie verbotenerweise vom Baum der Erkenntnis essen, aus dem Paradies vertrieben; zugleich aber beginnt das irdische, das eigentlich menschliche Dasein in dieser Welt (vgl. Jaffé, S. 558).

68,32 *sinke hinab zu den Erdgeistern:* Der Salamander wird in die Erde verbannt, zu den Erdgeistern. In diesen Erdgeistern sieht Egli (S. 83) die Verkörperung anorganischen Daseins. – Der Feuerstoff des Salamanders soll sich dann, auf eine nicht näher geklärte Weise, zum Menschen wandeln (vgl. Jaffé, S. 562 f.).

68,36–69,1 *der alte mürrische Erdgeist:* Die Aussicht auf
Erlösung (vgl. 70,8–10) verdankt der Salamander der In-
tervention durch Phosphorus' Gärtner. Jaffé erscheint
er als in der Erde verborgener Geist, als mütterlicher
Gnom, von männlich-weiblichem Geschlecht, als ein
dunkler Gegen- und Mitspieler der Sonne. Er weist
Phosphorus auf die Liebe hin (*die Liebe, von der du
selbst schon oft, o Herr! befangen,* 69,8 f., die den Salamander *zur Verzweiflung getrieben* (69,9) habe. Damit
macht er ihm seine Unvollkommenheit, ja seine Schuld
bewusst und bringt seinen Glauben an die eigene Ge-
rechtigkeit ins Wanken (vgl. Jaffé, S. 567–569).

69,12 f. *dem entarteten Geschlecht der Menschen:* Pikulik
sieht in diesem Verdikt über die Menschen, die die
Sprache der Natur (69,12) nicht mehr verstehen, eine
Anklage der Romantik gegen das Zeitalter der Aufklärung: Die Aufklärung habe das Wunderbare als Aberglauben aus dem Leben der Menschen vertrieben. Die
Romantik lege diesen Vorgang als »Verlust des Goldnen
Zeitalter« aus. Hoffmann wiederum liebe es, die Wie-
dergewinnung des Glaubens an das Wunderbare im
Märchen als »Entwicklung des Helden« darzustellen
(vgl. Pikulik, S. 350).

69,22–70,10 *nur zum Menschen keimt er empor ... und zu
seinen Brüdern gehen:* Die Vertreibung aus dem Blumengarten Atlantis, die Verbannung des Salamanders zu
den Erdgeistern, ergänzt Phosphorus durch die Verheißung seiner Menschwerdung. Damit tritt die Welt der
greifbaren Dinge und der Materie dem Reich der Naturgeister gegenüber (vgl. Jaffé, S. 560 f.). Der Salamander muss nun im »Durchgang durch die menschliche
Individuation seine sündhafte Leidenschaft sühnen und
sich durch das Leid des Erdendaseins zum früheren
Geistcharakter emporläutern« (Egli, S. 82). Diese Strafe
macht ihn zum Menschen und zugleich zur zentralen
Figur von Märchen und Mythos; denn durch sie hat er

an beiden Welten teil. Unter Berufung auf Schuberts *Symbolik des Traums* erinnert Jaffé an die für die christliche Religion, die ägyptische Göttergeschichte und die Alchimie bedeutsame Idee des fleischgewordenen Gottessohnes, in dem Gott zum Menschen wird und an dessen Leiden teilhat (vgl. Jaffé, S. 555 f.).

70,7 *nicht eher, bis drei Jünglinge:* Mit der Prophezeiung der Menschwerdung verkündet Phosphorus dem Salamander auch die Erlösung von seiner Menschengestalt durch den Menschen (vgl. Jaffé, S. 561 und 563). Die Dreizahl (*drei Jünglinge, drei Töchter,* 70,7 f.) symbolisiert die Menschheit als ganze.

70,13–17 *einen Topf vom schönsten Metall ... Widerschein abspiegeln:* Jaffé deutet den goldnen Topf als »Symbol der Seele, die die Fülle der Bilder enthält. Sie ist das Gefäß oder der Spiegel des ›wundervollen‹ Landes Atlantis, so wie auch die Natur und das Leben bei den Romantikern als Spiegel und als Gefäß göttlichen Geistes galten« (Jaffé, S. 574).

70,33–71,6 *... ein kindliches poetisches Gemüt ... Atlantis wohnen:* Wie Serpentina andeutet, hat auch der tollpatschig-lebensuntüchtige Student Anselmus ein *kindliches poetisches Gemüt:* sein besseres Selbst ist ein »versteckter Poet« (Preisendanz). – Unter einem gewöhnlichen Aspekt betrachtet, erzählt das Märchen nichts »als die Geschichte [...] der Berufung eines jungen Mannes zur Dichtkunst und [...] die Geschichte des daraus resultierenden, psychologisch und soziologisch völlig plausiblen Konflikts zwischen Künstlertum und Bürgerlichkeit« (Preisendanz, S. 89).

71,10–12 *aus den schwarzen Federn ... keimten feindliche Geister empor:* Ähnlich wie das »Feuer des Salamanders erloschen in die Erde sank und als ›Lindhorst‹ wieder aus ihr ›emporkeimte‹, ist aus der dunklen Saat der Drachenfedern in die Erde die Hexe unseres Märchens ›emporgekeimt‹« (Jaffé, S. 576).

71,24f. *feindlichen Prinzipe:* böse Kräfte und Mächte; in Hoffmanns dualistisch-gespaltener Welt spielen sie als Gegenkräfte eine besondere Rolle.

71,36–72,1 *Ein Kuss brannte auf seinem Munde:* Die gleiche traumhafte Konstellation wiederholt sich mit Veronika in der 9. Vigilie; vgl. 79,32f.

72,6f. *die Kopie des geheimnisvollen Manuskripts war glücklich beendigt:* Diese Stelle erhellt beispielhaft Hoffmanns vielschichtiges Erzählen. Als Strukturelement bildet Serpentinas Retrospektive den zweiten Teil der als triadische Denkfigur komponierten Atlantis-Mythe (vgl. Kap. III). Der Text ist zugleich eine von Anselmus angefertigte Kopie einer mit geheimnisvollen Zeichen und Schnörkeln beschrifteten Pergamentrolle. Es kann sich aber auch um eine von Anselmus geschaffene Dichtung handeln; der Student reift hier in der »Schule« des Archivars zur Erkenntnis und zum Dichter heran (vgl. vor allem Stegmann, S. 89).

72,26f. *Was Feuerzeug! – hier ist Feuer, so viel sie wollen:* Heerbrand ist die einzige aus dem Umkreis der »bürgerlichen« Märchenfiguren, der Lindhorst seine salamandrische Natur offenbart. Aber er kann die vorgefasste Meinung, Lindhorst sei ein *experimentierender Chemiker* (18,24) nicht überwinden. Deshalb rationalisiert er das Wunderbare als *chemisches Kunststückchen* (72,29f.).

Neunte Vigilie

73,10f. *ganz dem gewöhnlichen Leben entrückt:* Anselmus' Glaube an die Wirklichkeit des Wunderbaren wird zur Flucht aus der Wirklichkeit. In Hoffmanns Welt ist es allerdings unmöglich, das Wunderbare außerhalb der alltäglichen Wirklichkeit zu finden. Man kann jedoch mitten in ihr leben und doch blind, taub und stumpf für sie sein (vgl. Pikulik, S. 351; dazu Anm. zu 83,33–84,33).

73,16f. *musste er zuweilen unwillkürlich an Veronika den-*
ken: vgl. Anm. zu 62,11.

73,25f. *als er Serpentina zum erstenmal in der Gestalt ei-*
ner wunderbar holdseligen Jungfrau geschaut: Veronika
und Serpentina sind einander doppelgängerhaft zugeordnet. Im Streit um die Gunst des Anselmus sind sie
erbitterte Rivalinnen (vgl. 78,22f.). Beide haben blaue
Augen (vgl. 66,15f. und 75,22f.): Blau ist die Farbe der
Ferne, der romantischen Sehnsucht nach einem glückli-
chen Jenseits. Veronika und Serpentina gehören den Bereichen »Wirklichkeit« und »Idealwelt« an und fließen
doch für Anselmus zeitweilig zu ein und derselben Person zusammen (vgl. 75,9f.; 77,6; Wöllner, S. 86f.).

74,9 *Pirnaer Tor:* Das spätmittelalterliche Stadttor (erbaut
1590) stand zu Hoffmanns Zeiten noch; es wurde 1820
abgetragen, die Fläche in den Pirnaischen Platz umgewandelt (vgl. HKA I,498, Maassen). Der Platz trägt
noch heute diesen Namen.

74,28 *Blödigkeit:* hier: Schüchternheit, Tölpelhaftigkeit.

75,4f. *Archivarius Lindhorst – Serpentina – die grüne*
Schlange: vgl. Anm. zu 62,11.

75,9f. *gestern in dem blauen Zimmer erschienen:* vgl.
Anm. zu 73,25f.

75,22f. *Veronikas blaue Augen:* vgl. Anm. zu 73,25f.

75,26–28 *was ich gestern nur träumte, wird mir heute*
wirklich … zuteil: In diesem Augenblick erscheint Veronika Anselmus als reale Erfüllung dessen, was er im
azurblauen Zimmer im Hause des Archivarius erlebt
hat (vgl. 71,36–72,1): Vom Standpunkt der Wirklichkeit
aus erweisen sich die Bilder der jenseitigen Welt als
Ausschmückungen der Phantasie, die sich an die natürlichen Gegenstände und Personen heftet (vgl. Wöllner, S. 89). Vom Standpunkt der Märchenhandlung aus
zieht die »magnetische« Kraft des Metallspiegels, die
»schwarze Magie der Rauerin« (Wöllner, S. 88), Anselmus in die Kleinbürgermentalität (vgl. 80,13–22) zurück

und weckt in ihm die Sehnsucht nach einem bürgerlichen Ehe-Idyll.

76,22 *gleichsam foliiert und rubriziert:* nummeriert und nach Spalten geordnet. – Der Registrator Heerbrand verfällt wieder in seinen Berufsjargon.

76,27 *seines Matins:* seiner weiten, losen Jacke.

76,28 *Reprisen:* Wiederholungen.

76,33 f. *der Geist des Getränks zu Kopfe stieg:* Im Punsch (vgl. auch 98,34 f.) liegt für Hoffmann der »geheimnisvolle Reiz der Alchimie« (Gloor); er weckt die Bilder des Wunderbaren. Bier ist dagegen ein Spießergetränk; *starkes Doppelbier* (72,33) verwandelt den gutmütigen stillen Heerbrand in einen streitsüchtigen Widerling.

77,6 *Serpentina! Veronika!:* vgl. Anm. zu 73,25 f.

78,2 *Schuhu:* Uhu.

78,11 *Kanaillen:* (frz.) Gesindel.

78,16 *Cousin germain:* (frz.) Geschwisterkind, Neffe.

78,35 *pereat:* (lat.) nieder!

79,2 *Eheu – Eheu – Evoe:* (lat.) Jubelruf beim Fest des Weingotts Bacchus.

79,21 *Lache:* Gelächter.

80,6 f. *aus Furcht von den Hühnern gefressen zu werden:* »Ein Mensch glaubte [...] daß er ein Gerstenkorn sei und ihn die Vögel fressen würden, wenn er aus der Stube ginge« (Joh. Chr. Reil, *Über die Erkenntnis und Kur der Fieber*, Bd. 4, Halle 1802, S. 267; Nachweis Ellingers, zitiert bei Kron in: *Fantasie- und Nachtstücke* I, S. 790).

80,13–22 *Er sah nichts als gewöhnliche Scherbenpflanzen ... hatten gefallen können:* Anselmus ist durch das magische Eingreifen der Rauerin und ihres Metallspiegels im bürgerlichen Sinne zu *einiger Vernunft* (73,5) gekommen. Aber die Ratio entpuppt sich als Einflüsterung dämonischer Mächte, der Rückfall in die Rationalität als »Sündenfall«. Keineswegs zufällig erscheint der Garten des Archivars als *Paradies* (73,13), bietet die

Hexe vom Schwarzen Tor Äpfel feil (5,6 f.), verlockt Veronika Anselmus, vom Baum der Erkenntnis zu essen. Anselmus, auf dem Wege zum romantischen Dichter, hat sein *kindliches poetisches Gemüt* (70,33 f.) verloren. Seine Desillusionierung ist zwar kein Schock, der ihn unmittelbar aus der Anschauung der höheren Welt reißt, denn sie erfolgt in Paulmanns Wohnung also außerhalb seines neuen Wirkungskreises. Aber sie zerstört seinen Glauben, indem sie ihn zur Vernunft ruft, und liefert ihn dem Diktat der sinnlichen Wahrnehmung aus. Anselmus dünkt sich »aufgeklärt«; er frevelt im Übermut der Erkenntnis und befleckt das Geheimnis des Wunderbaren mit einem großen *Klecks* (81,17 f.). (Vgl. Pikulik, S. 352 f.)

81,23 *Basilisken:* (griech., ›kleine Könige‹) aus Drache und Hahn gemischte Fabelwesen, die giftigen Atem ausstoßen und mit ihren Feueraugen töten.

81,25 f. *Die goldnen Stämme … wurden zu Riesenschlangen:* Ähnlich aggressiv verhalten sich auch andere Mächte des Wunderbaren im romantischen Märchen. Hoffmann selbst hat das Motiv in *Der Sandmann* (1817) variiert; dort wird Nathanael vom Wahnsinn in einen »Feuerkreis« gewirbelt (vgl. Anm. 16 bei Pikulik, S. 353).

81,33 f. *sprühten ihre aufgesperrten Rachen Feuer-Katarakte:* vgl. Anm. zu 33,6 f.

82,6 f. *Kristallflasche auf einem Repositorium im Bibliothekzimmer:* Die Flasche steht demnach auf einem Regal in jener Bibliothek in Lindhorsts Haus, von der es in der 6. Vigilie heißt, dass sie sich *in keiner Art von gewöhnlichen Bibliothek- und Studierzimmern unterschied* (50,19–21). Das bedeutet, dass sich die *Kristallflasche* mitten in der Alltäglichkeit befindet (vgl. Pikulik, S. 343; s. auch Anm. zu 83,8 f.).

Zehnte Vigilie

82,14 *Mit Recht darf ich zweifeln:* s. S. 73 f.

82,22 *Kristall:* vgl. 83,12 und Anm. dazu.

82,22–24 *von blendendem Glanze ... von strahlenden Regenbogenfarben:* Der Leser soll sich gleichsam ein Prisma von innen vorstellen. Anselmus erlebt das Kristall nicht nur in seiner substantiellen, aggressiven Natur, sondern – wie das Glas – auch als Schein. Zur Qual des Gefangenen, sich nicht bewegen zu können, kommt eine schmerzhafte Blendung. Anselmus vermag anfangs weder zu erkennen, wo er sich befindet, noch Gegenstände zu unterscheiden. Die glänzende Buntheit der Flasche ist zunächst undurchdringlich. Pikulik vermutet, dass der Schein von der gläsernen Substanz der Flasche herrührt. Dieser Schein wappne sich mit Undurchschaubarkeit und verberge nicht nur die Wahrheit, sondern täusche Falsches vor. Er wäre demnach ein Werk jenes betrügerischen Geistes, dem Anselmus zum Opfer fiel, als er zu *einiger Vernunft* (73,5) gelangte. Der geheimnisvolle Fluch des Äpfelweibs: *ins Kristall bald dein Fall* (5,20 und 21,1) spiele darauf an, dass Anselmus bald unrettbar dem Irdischen verfalle (vgl. Pikulik, S. 357 f.).

82,26–83,14 *du schwimmst ... wie in einem festgefrornen Äther ... dumpfe Brausen des Wahnsinns:* Ähnlich wie das Volksmärchen (vgl. Schneewittchen im gläsernen Sarg) hat die Romantik einen vielfältigen Komplex an Erstarrungs- und Versteinerungssymbolen entwickelt. Auffallend oft begegnet das Motiv der Versteinerung bei Brentano, z. B. als Erstarrung des Schäfers Damon und der Mühlknappen im Starenberg-Märchen (*Rheinmärchen*, begonnen 1810, Erstdruck 1846), oder im Symbol des steinernen Urgockels im *Gockelmärchen* (1815/16). In Hoffmanns *Prinzessin Brambilla* (1820) erstarrt die Prinzessin Mystilis zum Porzellanpüppchen,

in *Nussknacker und Mausekönig* (1816) »verholzt« ein
Prinz zum Nussknacker. Erstarrung in Form des Ein-
frierens symbolisiert im *Goldnen Topf* jedoch nicht
tiefste Verdammnis, wie in Dantes Hölle, sondern den
Zustand der Unerlöstheit (vgl. dazu auch Pikulik, S. 354
und Anm. 17).

83,8 f. *Die Morgensonne … hineinschien:* Anselmus wird
nicht in magischer Atmosphäre, etwa im *azurblauen
Zimmer,* sondern in der Alltäglichkeit gefangengehalten
(vgl. Anm. zu 82,6 f.).

83,12 *Glas:* vgl. 82,22. Pikulik (S. 341 f.) weist darauf hin,
dass Anselmus' Gefängnis, die geheimnisvolle Flasche,
nicht nur aus *Kristall,* sondern auch aus *Glas* besteht.
Beide Begriffe werden alternierend bei der Schilderung
der Gefangenschaft (82,14–89,18) gebraucht. Da Hoffmann das *Kristall* in seinen Erzählungen an vielen Stellen als Element des Wunderbaren ins Spiel bringt (vgl.
Wührl, *Die poetische Wirklichkeit in E. T. A. Hoffmanns
Kunstmärchen,* S. 104 ff., 242 f.), dürfte diese Unter-
scheidung tatsächlich beabsichtigt sein. Denn Kristall
entstammt den Tiefen der Erde und der Zeiten. Das
nichtelementare Glas dagegen ist künstlich hergestellt
und besitzt minderwertige, ja schädliche Eigenschaften.
(In *Meister Floh, Der Sandmann, Nussknacker und
Mausekönig.* Hinweise dazu bei Pikulik, S. 342.) – Die
Elemente der erzählten Welt im *Goldnen Topf,* die Fi-
guren, Dinge, Schauplätze, Requisiten, Ereignisse oder
Tätigkeiten, sind ambivalent, so auch die *Kristallflasche*:
Sie ist ein zwitterhaftes Gebilde; denn der Kerker des
Studenten besitzt eine »gläserne«, d. h. »bürgerliche«,
und eine »kristallene« bzw. »wunderbare« Natur. Beide
Aspekte tauchen im Erzählablauf im unregelmäßigen
Wechsel auf, ohne dass festzustellen wäre, wo sie lokali-
siert sind. Wie das Glas den Charakter der alltäglichen
Wirklichkeit symbolisieren kann, so kann in Hoff-
manns Symbolik umgekehrt die Wirklichkeit den Cha-

rakter des Glases annehmen; sie wird durchsichtig, um
Tieferes zu enthüllen (vgl. dazu vor allem Pikulik,
S. 434 und Anm. 5; ferner Anm. zu 34,14–16).

83,15–20 *Serpentina – Serpentina … er atmete freier:* Die
Wahrnehmung des Scheins als Schein bedeutet schon
seine Entlarvung. Als Anselmus Blendung und Qual im
höchsten Maße erfährt, manifestiert sich in einem symbolischen Vorgang der Schein als durchschaubar. Damit
hat das Böse bereits sein Spiel verloren; die Stimme des
Philisters versagt und damit die Magie der Vernunft, die
Anselmus trügerische Desillusionierungen bescherte
(vgl. Pikulik, S. 358 f.).

83,33–84,33 *Anselmus wurde gewahr … holde Serpentina:*
Anselmus' Gefangenschaft im Kristall liefert, wie Pikulik überzeugend ausgeführt hat, den Schlüssel für das
Verständnis von Hoffmanns *Goldnem Topf.* Zunächst
wiederholt sich eine typische Konstellation: Anselmus
klagt um Serpentina; die Stimme der Philister (der
Kreuzschüler und *Praktikanten,* 84,29–32) verhöhnt ihn
jedoch. Diesmal aber ertappt er sich nicht dabei, einer
Illusion erlegen zu sein. Vielmehr erkennt er, dass jenes,
was die anderen für ihre vertraute Umgebung halten,
Schein ist, durchsichtiges Glas. Damit wird die Frage
nach der »Wahrheit des Wunderbaren« eine Frage nach
der »Echtheit des Wirklichen« (Pikulik). Anselmus'
Unglücksgefährten nehmen sich, mit ihren beschränk-
ten Sinnen, bloß auf der Elbbrücke wahr. Anselmus
aber sieht, dass er und die anderen in Flaschen ein-
gesperrt sind. Diese Flaschen stehen in einer ganz
gewöhnlichen Bibliothek auf einem Regal, und sie bestehen u. a. auch aus Glas (84,3 f.). Anselmus hält sich
deswegen keineswegs außerhalb der alltäglichen Wirklichkeit auf. Er kann zwar nichts *Vernünftiges denken*
(84,6), weil die Flasche mit einem *Mordlärm,* mit *Klin-
gen und Schallen* (84,6 f.) erfüllt ist. Aber er erkennt in-
tuitiv die Wahrheit: Die Welt, wie sie dem Philister er-

scheint, ist eine Täuschung. Was der Philister wiederum für Täuschung hält, ist für Anselmus bedrückende Tatsache geworden: das Wunderbare. Die kristallene Natur der Flasche drückt nämlich aus, dass sich der Gefangene nicht nur in der alltäglichen Wirklichkeit befindet, sondern gleichzeitig, ja gleichräumig, in der Gewalt des Wunderbaren. Aber auch die Wirklichkeit existiert wirklich: ihre Dimension ist Enge. Deshalb wird Anselmus nicht nur von Kristall, sondern auch von Glas auf das Bedrückendste eingeengt. Nur Anselmus erkennt die Enge; denn er hat in *Glaube und Liebe* erfahren, was *Freiheit und Leben* bedeuten (84,34f.). Das haben die Kreuzschüler und Praktikanten offenbar nicht. Sie rühmen sich einer scheinbaren Freiheit, während Anselmus an der Enge des Wirklichen leidet (vgl. Pikulik, S. 355–357).

83,35 *Kreuzschüler:* Die Kreuzschule war die berühmtere der beiden Dresdner Gelehrtenschulen (HKA I,498, Maassen).

84,12–19 *die Speziestaler ... und sind seelenvergnügt:* vgl. Anm. zu 62,29–63,13.

84,14 *wir dürfen jetzt:* wir müssen jetzt.

84,18f. *Gaudeamus igitur:* (lat.) ›Lasst uns also fröhlich sein‹ (1781); berühmtes Studentenlied, nach einem lateinischen Bußgesang von 1267. Die heute gebräuchliche Textfassung stammt von Christian Wilhelm Kindleben; die Melodie ist teilweise dem Lied »Brüder, lasst uns lustig sein« von Johann Christian Günther (1717) nachgebildet.

84,22 *Weinberg:* Ausflugsort, etwa eine Stunde außerhalb Dresdens an der Bautzener Landstraße (vgl. HKA I,498, Maassen).

85,6f. *das Kristall musste seiner Gewalt weichen:* Sobald Anselmus die Welt als Gefängnis erkennt, verliert der Fluch, unter Serpentinas Einfluss, an Wirksamkeit (vgl. auch Pikulik, S. 358). Das heißt aber wohl, dass die Poesie, die Serpentina u. a. auch verkörpert, die Enge der Alltäglichkeit erträglicher macht.

85,17 *alten Kaffeekanne:* vgl. Anm. zu 43,35.

86,13 f. *ich liebe ewiglich ... nie die Veronika schauen:* vgl. Anm. zu 89,10.

87,9 *damastnen Schlafrock:* vgl. Anm. zu 48,34–36.

87,9–88,27 *Hei, hei! Gesindel ... schwarzes Haar im Schnabel darreichte:* Zauberkämpfe wie der hier beginnende stellen in Hoffmanns Märchen ein typisches strukturbildendes Element dar. In ihnen entladen sich die bestehenden Antagonismen. Im *Goldnen Topf* wird der Antagonismus der elementaren mythischen Mächte »Feuer« (Salamander) und »Erde« (Hexe) in einer dramatischen Szene ausgetragen. Dahinter steht eine mythologisch begründete Figurenkonstellation (vgl. Skizze S. 86/87), die weit hinter die Binnenhandlung in Dresden zurückreicht. Die im Atlantis-Mythos verwurzelte Feindschaft zwischen dem Geisterfürsten und der Hexe spaltet das gesamte Figurenfeld dualistisch in zwei Lager. Die Spielarten an Zauberkämpfen, die Hoffmann in den verschiedenen Märchen entwickelt, reichen von der Auseinandersetzung auf Leben und Tod über die Prügelei bis zum parodistischen Duell im »magischen Zirkel«: Lindhorst besiegt seine mythische Gegenspielerin, weil sie den magischen Waffen, die er aus einer Fülle von Metamorphosen gewinnt, nur unzureichende Abwehrmittel entgegensetzen kann. In *Die Brautwahl* (1819) duellieren sich zwei »Revenanten« (»Rückkehrer«) auf der Ebene bizarrer Verwandlungs- und Zaubertricks, ähnlich, wie sich in *Klein Zaches* (1819) die Fee Rosabelverde und der Magier Prosper Alpanus am Kaffeetisch mit Taschenspielertricks duellieren. In *Die Königsbraut* (1821) verwickeln sich zwei Gnome in eine handfeste Rauferei. In *Nussknacker und Mausekönig* (1816) liefern die mitternächtlich zum Leben erwachten Spielzeugfiguren der Armee des Mausekönigs eine erbitterte Schlacht. In *Prinzessin Brambilla* (1820) duelliert sich Giglio mit einem Holzschwert mit seinem Doppelgänger und in *Meister Floh* (1822) tragen die Mikroskopisten Leuwenhoek und Swammerdamm mit den Strahlen optischer Instrumente einen ulkigen Zweikampf aus. Alle diese Kämpfe ergeben sich nicht nur aus der dualistischen Spaltung des Figurenfeldes und den Rivalitäten unter dem magischen Personal der Märchen, sondern auch aus einer »Das-Leben-ist-Kampf«-Ideologie, die Hoffmann in *Der Magnetiseur* (1813) skizziert hat: »Alle Existenz ist Kampf und geht aus dem Kampfe hervor. In einem fortsteigenden Klimax wird dem Mächtigern der Sieg zuteil, und mit dem unterjochten Vasallen vermehrt sich seine Kraft« (*Fantasie- und Nachtstücke*, S. 169f.; vgl. auch Wührl, *Die poetische Wirklichkeit in E. T. A. Hoffmanns Kunstmärchen*, S. 198–202 und 241f.).

88,12 f. *fuhren in wütendem Kampfe Kater und Papagei umher:* Der Kampf der beiden mythischen Gegenspieler Geisterfürst/Hexe spiegelt und wiederholt sich als Burleske auf der Dienerebene.

88,31 *Douceur:* (frz.) Leckerei.

89,5 f. *die hohe majestätische Gestalt des Geisterfürsten:* Wiederum entdeckt sich Lindhorst dem Studenten als *Geisterfürst* (vgl. 53,28–31). Die verblüffend wechselnden Attitüden Lindhorsts zeigen, wie weit diese Figur von der Eindeutigkeit eines »Helfers« aus dem Volksmärchen entfernt ist. Jaffé hat summierend ihre komplexen Einzelzüge zusammengestellt: »[...] im Hoffmannschen Märchen wird der zwischen dem grenzenlosen Reich Atlantis und der engen Welt des Menschen stehende und vermittelnde Salamander-Lindhorst zu einem wunderlichen alten Mann voll ›moralischer Mißdeutbarkeit‹ [...]. Als Führer des Anselmus in das rätselhafte und gefährliche Land der Bilder ist er zugleich sein Verführer, indem er ihn der Menschenwelt ent-

fremdet und mehr als einmal an den Rand des Wahnsinns bringt. Auch Lindhorst zeigt eine ›mißliche Verwandtschaft mit Dämon und Tier‹ [C. G. Jung], stammt
er doch aus dem Geschlecht der Feuersalamander und
erscheint im Märchen als weißgrauer Totenvogel und
als Drache. Er ist ein skurriler, schadenfroher Dämon
[...]« (Jaffé, S. 564f.).

89,10 *dich mit dir selbst zu entzweien trachtete:* Damit
wird deutlich, dass das Märchen u. a. auch den Selbst-
findungsprozess eines Künstlers erzählt. Anselmus ist
mit sich selbst ins Reine gekommen; er hat sich in der
Treue (89,11) zu sich selbst bewährt, hat auf die bürgerliche Hofrat-Karriere und das appetitliche Bürgermädchen Veronika verzichtet (vgl. 86,13f.) und sich für
Serpentina, die intuitive Anschauung in der Poesie, ent-
schieden.

89,18 *Arme der holden, lieblichen Serpentina:* Anscheinend ist auch Serpentina aus der Schlangengestalt erlöst.
Ihre Art, sich fortzubewegen, wird im Laufe des Märchens immer menschlicher. Zunächst *schlüpft* sie wie ein
Reptil (1. Vigilie; 11,23). In der 8. Vigilie *windet* sie sich
und *schlängelt sich* als ein Mischwesen aus Mensch und
Schlange, das einem Mädchen in einem extravaganten
Abendkleid ähnelt (66,20–28). In der 12. Vigilie *tritt* sie
wie eine anmutige Jungfrau *in hoher Schönheit und Anmut* (100,18–21) aus dem Tempel heraus und *trägt* Anselmus den goldnen Topf entgegen.

Eilfte Vigilie

89,19 *Eilfte:* alte Form von: elfte.

90,14 *mente captus:* (lat.) verrückt.

90,23 *Famulus:* (lat.) Diener, Gehilfe.

91,10 *abage Satanas!:* Gemeint ist griech. *apage, Satanas:*
Weiche, Satan!

91,30f. *Sonntagskind – Schwestern von Prag:* Das *Neu-*

sonntagskind und *Die zwei Schwestern von Prag* waren zwei Singspiele von Wenzel Müller. Der Text stammte von Joachim Perinet (1765–1816), einem Schauspieler des Leopoldstädter Theaters in Wien. Die beiden Singspiele wurden 1793 und 1794 in Wien uraufgeführt und waren sehr beliebt. Hoffmann dirigierte bei der Truppe Seconda die *Schwestern von Prag* (vgl. HKA I,498, Maassen).

92,12 *Ingredienzen:* Zutaten, Bestandteile.

92,16 *Hofrat:* Der Hofrat Heerbrand taucht als Lückenbüßer auf, um den sozialen Ehrgeiz der sitzen gebliebenen Veronika zu befriedigen. Das scheinbar konventionelle Märchenende, die beiden von Hoffmann arrangierten Schlusstableaux mit der Verlobung Veronikas und der mystischen Hochzeit des Anselmus (99,13–101,15), parodiert jedoch das typische Konfliktlösungsschema im Märchen und tarnt den offenen Schluss. Denn Lindhorst bleibt ja unerlöst in Dresden zurück (vgl. 101,33–102,6).

92,17 f. *Patent cum nomine et sigillo principis:* (lat.) Urkunde mit der Unterschrift und dem Siegel des Fürsten.

93,13 *in der Schlossgasse für schmähliches Geld:* In der Dresdner Schlossgasse lagen die teuersten Juweliergeschäfte (vgl. HKA I,498, Maassen).

94,21 *Elbbrücke … wo das Kreuz steht:* Auch dieses Dresdner Lokaldetail ist authentisch. Hoffmann hatte das Kruzifix, das am 31. Mai 1845 vom Hochwasser fortgerissen wurde, in einem Brief vom 10. Mai 1813 an Kunz erwähnt (vgl. HKA I,499, Maassen).

94,33 *vertrackten:* unangenehmen.

95,8 *Allegorie:* Sinnbild; bildhaft belebte Darstellung eines abstrakten Begriffs oder Gedankengangs.

95,25 *Deszendenz:* (lat.) Nachkommenschaft.
Malum: (lat.) Übel, Krankheit.

95,34 *Elegants:* (frz.) Stutzer; extrem modebewusste Leute.

95,34 f. *hinauflorgnettierend:* mit einer Lorgnette (frz.: Stielbrille) hinaufblickend.

Zwölfte Vigilie

96,5–31 *Wie fühlte ich recht … holden Serpentina zu träu-men:* s. S. 121 f.

96,34 *Billett:* (frz.) Briefchen.

97,1–36 *Ew. Wohlgeboren haben … Geh. Archivarius:*
Lindhorsts Briefchen an den Autor macht die »Fiktion
als Fiktion« im *Goldnen Topf* zu einer abgrenzbaren
Schicht. Die Märchenfigur Lindhorst wird aus der ab-
geschlossenen Geschichte herausgelöst; sie tritt an den
Autor heran und bietet ihm an, die Erzählung vollenden
zu helfen. Dadurch wird die Ebene der Märchenfabel
durch eine »Ebene der allegorisch durchgestalteten
Fiktionsnennung« ergänzt (vgl. Strohschneider-Kohrs,
S. 344 und 348).

97,11 f. *im Kollegio die zu ventilierende Frage:* ventilieren:
erörtern. – Lindhorst fürchtet, die Frage seiner Eidfä-
higkeit und Zuverlässigkeit werde, da er ja ein Elementargeist ist, unter seinen Amtskollegen im königlich-
sächsischen Notariats- bzw. Archivdienst zu peinlichen
Erörterungen führen.

97,15 f. *Gabalis und Swedenborg:* Zu Gabalis, einer der
Hauptquellen Hoffmanns, wenn es um Elementargeister geht, vgl. Anm. zu 67,31. – Emanuel Svedenborg
(1688–1772), schwedischer Theosoph, rühmte sich
übernatürlicher Kräfte und geheimer göttlicher Offenbarungen (vgl. *Fantasie- und Nachtstücke*, S. 787 Anm.).

97,19 *was Weniges blitzen:* Anspielung auf die Begegnung
mit Heerbrand und seine Reaktion; vgl. 72,27 f. und
77,29 f.

97,23 f. *ich wollte, ich wäre die beiden übrigen auch schon
los:* vgl. Anm. zu 97,36.

97,36 *Königl. Geh. Archivarius:* Von der Eingangs- bis
zur Schlussfloskel ist dieser Brief des Salamanders
im soigniertesten höheren Kanzleistil gehalten, doch
spricht hier vor allem der bürgerliche Vater, der seine

liebe Not hat, die beiden älteren Töchter (vgl. 97,23 f.)
auch unter die Haube zu bringen (vgl. Preisendanz,
S. 99).

98,4 f. *von der seltsamen Art, wie mir ... bekannt worden:*
Auch jetzt noch verschweigt der Erzähler dem *günstigen Leser* (98,6), woher er die Schicksale des Anselmus
kennt, d. h., er verzichtet auf die Herausgeberfiktion.

98,22–99,12 *Punkt eilf Uhr löschte ich ... es war köstlich!:*
Der Ich-Erzähler muss keineswegs mit dem histori-
schen Ich des Autors identisch sein, doch spricht hier
alles dafür, dass Hoffmann sich selbst meint. Der miterzählte Autor wird zwar zur Märchenfigur, mischt sich
aber nicht in das Figurenfeld des Märchens. Nach Wöllner muss sich der »Chronist« selbst in die Handlungsebene hinein- und an den Arbeitsplatz des Anselmus
begeben, weil die »Dualität der irdischen Existenz«
zeitweilig nur durch das »Eingreifen der magischen
übersinnlichen Gewalt aufgehoben« werden könne. Damit aber gestehe der Autor auch ein, dass es ihm unmöglich sei, »geradlinig zu erzählen und die von der
Konvention gebotene Distanz des Erzählers zur Erzähl-
wirklichkeit aufrechtzuerhalten«. So werde das azurblaue Zimmer gleichsam zur Proszeniumsloge (vgl.
97,27 f.) (vgl. Wöllner, S. 77–80). Preisendanz wiederum
sieht in dem auf die Handlungsebene nachrückenden
Autor ein »Spiegelbild des Anselmus«. Der Erzähler
gebe sich damit als »eigentlicher Held« des Märchens
zu erkennen: Erst durch die reflexive Beziehung der erzählten Welt auf einen Erzähler verschwinde der Dualismus des Phantastischen und Gewöhnlichen in einem
Wiedererkennen, dem gerade die Ambivalenz alles
Wirklichen bestätige, dass im Grunde alles eins sei (vgl.
Preisendanz, S. 104 und 90).

99,4 f. *in dem Pokale auf- und niedersteigen:* Salamander
und brennender Johannes-Kreisler-Punsch (vgl. 98,34 f.)
stehen zueinander in einer ironisch gebrochenen Bezie-

hung. Der Salamander gibt dem Punsch den beflügelnden Feuergeist (vgl. 99,10). Zugleich spielt die Stelle auf einen mittelalterlichen Trinkritus der Studenten an (vgl. 99,11 f.), bei dem Schnaps brennend an den Mund geführt wurde (vgl. Kluge, S. 620).

99,13–101,15 *Rühren sich nicht ... ewig die Erkenntnis:* Lindhorsts »künstliches Paradies« aus der 6. und 8. Vigilie (vgl. 48,3–34 und 63,32–64,8) und das wahre Paradies gehen ununterscheidbar ineinander über und enthüllen ihre geheime Identität. In der Vision wird die Illusion zur Wirklichkeit (vgl. Wöllner, S. 79 f.).

99,26 f. *Glühende Hyazinthen und Tulipanen:* Anselmus durchwandert eine verzauberte Natur; Synästhesien (vgl. 99,27) vereinigen Sinnesempfindungen, die im Alltag getrennt sind (vgl. Wöllner, S. 81).

100,10 f. *Aber sehnsuchtsvoll schaut Anselmus:* Auf bildlicher Ebene nimmt die Verschmelzung der Sinneseindrücke die Liebesvereinigung des Anselmus mit Serpentina vorweg (vgl. Wöllner, S. 83).

100,19 f. *aus dem Innern des Tempels:* Anselmus verharrt vor den Pforten des Tempels; Serpentina tritt ihm wie eine »Isispriesterin« (Wöllner) aus dem Tempel entgegen. Sie treffen sich in einer symbolischen Mitte. Der Schauplatz ihrer Vermählung ist also die Natur, die am *Fest der Liebe* (100,33) teilnimmt. Der Tempel selbst ist ein Teil der Natur (vgl. 100,12 f. *Die künstlichen Säulen scheinen Bäume ...*); als Heiligtum von der profanen Natur geschieden und doch, als Krönung der paradiesischen Landschaft, in sie einbezogen (vgl. Wöllner, S. 85).

100,20 f. *den goldnen Topf, aus dem eine herrliche Lilie entsprossen:* vgl. auch Anm. zu 22,19. Nach Wöllner ist die Lilie hier nicht mehr, wie in der Erzählung Lindhorsts, Symbol der Unschuld und damit der unreflektierten, in sich ruhenden Harmonie, sondern »die Erkenntnis des heiligen Einklangs aller Wesen«. Demnach verweist auch der goldne Topf auf die Verbundenheit von Kunst und »Erkenntnis des heiligen Einklangs aller Wesen« (vgl. Wöllner, S. 84).

101,2–15 *Da erhebt Anselmus das Haupt … die Erkenntnis:* Wöllner fasst die Apotheose des Anselmus, seine Weihe zum Künstler, als Erhöhung ins Ideal auf. Serpentinas Idealität wiederum sei nur als Gegensatz zur Diesseitigkeit Veronikas zu begreifen (vgl. Wöllner, S. 85).

101,16–102,6 *den Anselmus leibhaftig auf seinem Rittergute in Atlantis gesehen … Geheimnis der Natur offenbaret:* Nach Strohschneider-Kohrs weist die Schlussszene allegorisch auf den Sinn der Märchenfabel hin, bleibt aber doch eine Märchenszene, die einen Teil des Geschehens auf einer neuen Ebene wiederholt. Sie stelle nämlich den dichterischen Schaffensprozess in einer eigenen Handlung dar und deute zugleich das Wesen der Poesie allegorisch als Verwandlung. Der Vorgang der Verwandlung, angedeutet durch Lindhorsts Eintauchen in den Zaubertrank des Punsches, setze mit dem Dichten ein; die Vision des Autors von Atlantis deute auf die Gegenwart des Poetischen hin. Der Vorgang des dichterischen Darstellens (vgl. 101,20f.: *augenscheinlich von mir selbst aufgeschrieben*) und das dargestellte »Atlantis« [ist] demnach die innere Welt, die sich Anselmus erschafft, wenn er, in sich versunken, an seinen Manuskripten schreibt und darüber die banalen Zwänge der äußeren Welt vergisst« (Wührl, *Das deutsche Kunstmärchen*, 2003, S. 171).

101,33 f. *Da klopfte mir der Archivarius Lindhorst leise auf die Achsel:* Lindhorst durchbricht nochmals die Illusion und tröstet den über sein armseliges Leben klagenden Autor (101,31–33) mit dem Hinweis, dass er ja selbst einen *artigen Meierhof als poetisches Besitztum* (102,2) sein eigen nenne. Damit erklärt er zugleich die Dichtkunst (die *Poesie*, 102,4) zum inneren Besitz des

eben hier schreibenden Autors. Somit bauen Illusionsdurchbrechung und Reflexion einen allegorischen Zusammenhang auf, der den Sinn der Märchenfabel in einer eigenen Szene deutet und zugleich Dichtung zu
Kunst erklärt (vgl. Strohschneider-Kohrs, S. 350 f.).

102,2 *artigen Meierhof:* hübschen kleinen Bauernhof.

II. Die Struktur des Erzählvorgangs

1. Hoffmanns »zweideutige Welt«: der ambivalente Geschehnisraum

Aufs Feinste ausgewogene Ambivalenz ist das unverwechselbare Strukturmerkmal von Hoffmanns »zweideutiger Welt« (Lothar Köhn, *Vieldeutige Welt. Studien zu den Erzählungen E. T. A. Hoffmanns und zur Entwicklung seines Werkes*, Tübingen 1966).

Hoffmanns erzähltechnisches Vexierspiel verstrickt den Leser derart, dass er nicht mehr zu sagen vermag, wo die vertraute Erfahrungsrealität aufhört und das Wunderbare beginnt.

Nur die Illusion eines topographisch nachgewiesenen Raums ist die Basis, von der aus er seinen Märchenhelden – und mit ihm den Leser – schrittweise aus der exakt benannten Wirklichkeit in eine in fantastischen Fluktuationen erfahrbare Gegenwirklichkeit entführt. Im selben Augenblick, in dem sie in einen unfassbaren magischen Bereich zerfließt, kehrt der (miterzählte) Autor allerdings schleunigst wieder an seinen Schreibtisch zurück.

1.1. »Dresden« als Märchenschauplatz. – Der goldne Topf spielt im Dresden der Befreiungskriege um 1813/14, als Hoffmann Kapellmeister der Operntruppe von Joseph Seconda (gest. um 1820) war. Von den Kriegsereignissen findet sich kaum eine Spur (vgl. Kap. V.), aber die unmittelbare Gegenwart ist in einem sorgfältig geknüpften Netz konkreter Details eingefangen, die Hoffmanns Zeitgenossen vertraut waren. Ein derart intensiver Realitätsbezug in einem »Märchen« muss frappierend gewirkt haben.

Die Detailtreue reicht von dem Kreuz auf der Elbbrücke (11. Vigilie; S. 94) über Conradis Konditorei in der Schlossgasse Nr. 252 (2. Vigilie; S. 20) bis zur Nennung volkstümlicher Musikstücke. Als vertrauten Bestandteil ihres Lebens empfanden Hoffmanns Zeitgenossen sicher auch die in der 2. Vigilie erwähnte *Bravour-Arie* von Karl Heinrich Graun (1701–1759; S. 18) oder die Singspiele das *Neusonntagskind* und *Die zwei Schwestern aus Prag* (11. Vigilie; S. 91).

Trotzdem ist Hoffmann weit davon entfernt, den Geschehnisraum *Dresden* realistisch zu beschreiben: Ortsangaben wie *Linke'sches Bad, Elbe, Elbbrücke, Kreuzkirche, Kosel'scher Garten, Seetor* oder *Pirnaer Vorstadt* benennen knapp den jeweiligen Schauplatz. Sie setzen also Dresden als fertigen Vorstellungsinhalt voraus und überlassen es dem Leser, sich darunter vorzustellen, was er will oder aus eigener Ortskenntnis weiß.

Dieses benennende Darstellungsverfahren trägt entscheidend dazu bei, die für den Aufbau einer ambivalenten Märchenwirklichkeit unentbehrliche Transparenz der Erfahrungsrealität zu wahren. Zugleich schafft es die Fiktion einer nachprüfbaren Topographie als Gegensatz zum »Irgendwo« des Volksmärchens und legt die Märchenhandlung in Raum und Zeit fest.

1.2. Innenräume des bürgerlichen Milieus. – Die Liebesgeschichte zwischen Anselmus und Veronika entwickelt sich fast ausschließlich in Paulmanns Wohnung. Hoffmann beschreibt diese Bürgerwohnung ebensowenig wie die Stadtlandschaft Dresden. Doch der atmosphärische Zeichenwert bestimmter Requisiten wie *Klavier, Kaffeekanne, Stickrahmen, Punschterrine* und *Pfeife* suggerieren plastische Vorstellungen von einem biedermeierlichen Familienleben, die der Leser, ohne sich dessen bewusst zu werden, aus den sparsamen Andeutungen selbst erschafft.

Die Transparenz der nur in Andeutungen erzählten bürgerlichen Welt erlaubt es dem Erzähler, die Wohnungen der beiden mythischen Gegenspieler »realistischer« zu beschreiben als das bürgerliche Milieu und sie als genau ab-

gegrenzte Enklaven des Wunderbaren in die zeitgenössische Erfahrungsrealität einzubetten.
Aber auch die Enklaven bleiben ambivalent: Lindhorst
wohnt in einer *einsamen Straße* bei der Kreuzkirche
(2. Vigilie; 20,19 f.) in einem *uralten* Patrizierhaus; doch
hinter der schäbigen Fassade liegt ein orientalischer Palast.
Und das *kleine rote Häuschen* des Äpfelweibs in einer *abgelegenen engen Straße* am *Seetor* (5. Vigilie; 42,1–4) ist
ein ambivalentes Gebilde aus Proletarierkate und Hexenküche.

1.3. Der Palast des Archivarius. – Als Anselmus in der
6. Vigilie Lindhorsts Haus betritt, fallen ihm (neben dem
Glockengebimmel und dem Duft des Räucherwerks) viele
schöne Türen auf. Damit passt sich die Annäherung an
das Wunderbare dem traditionellen Märchenmotiv von
der räumlichen »Schwellenüberschreitung« (Miller) an; in
den Märchen von Antoine d'Hamilton (1646–1720), Ludwig Tieck (1773–1853) oder in *1001 Nacht* wartet es hinter
verbotenen Türen. Hoffmann aber lenkt die Lesererwar-
tung auf eine falsche Fährte und lässt das Wunderbare
überraschend in den Ambivalenzen der wirklichen Dinge
auftauchen (vgl. auch Miller, »E. T. A. Hoffmanns doppelte Wirklichkeit«, S. 365 und 367). Anselmus' Eindrücke
beginnen zwischen Wirklichkeit und Traumbild zu changieren: Zwischen *Zypressenstauden* und *Marmorbecken*, in
denen *Kristallstrahlen* in *Lilienkelche* niederfallen (S. 48),
fühlt er sich in einen orientalischen Märchenpalast versetzt, und das mitten in Dresden. Beim Rundgang durch
das Haus nimmt er schließlich nur noch Lichteindrücke
wahr (*all die glänzenden sonderbar geformten Mobilien*,
49,23 f.) und bleibt den Formen und Materialien gegenüber sprachlos. In der Bibliothek der Palmbäume kann er
die Dinge wieder benennen: Er sieht *azurblaue Wände*
und *goldbronzene Stämme hoher Palmbäume* mit Blättern
wie *Smaragd*. Und er sieht den goldnen Topf auf einer

Tischplatte aus Porphyr, die ein aus Bronze gegossener ägyptischer Löwe trägt (49,34 f.).

Die Begegnung mit magischen Mächten verändert aber sein Raumerlebnis, und in der 8. Vigilie erkennt der Student, dass die *seltsamen Blüten* eigentlich (d. h. in Wahrheit) gar keine Blüten sind, vielmehr *in glänzenden Farben prunkende Insekten*, die *rosenfarbenen und himmelblauen Vögel* sind *duftende Blumen*, und die smaragdgrünen Blätter der Palmbäume eigentlich Pergamentrollen (S. 63–65).

Je nach Gestimmtheit verwandelt sich der Raum für ihn und damit auch für den Leser.

1.4. Die Hexenküche. – Ähnlich erlebt der Leser die Hexenküche des Äpfelweibs aus der (allerdings starren) Perspektive Veronikas. Die ausgestopften Tiere muten sie *hässlich* an, die Geräte *seltsam*, die Fledermäuse mit ihren *verzerrten, lachenden Menschengesichtern* erscheinen ihr *ekelhaft*, und die schneidenden, heulenden Jammertöne erregen in ihr *Angst und Grausen* (5. Vigilie; S. 43).

Charakteristisch für Hoffmanns Beschreibungstechnik ist ihre Dynamik, die Bildelemente in Bewegungsabläufe einbezieht. Eine Flamme *leckt* an einer *rußigen Mauer* herauf; die Alte hantiert mit einem Wedel in einem Kupferkessel; das Feuer erlischt und die Stube scheint sich mit *dickem Rauch* zu füllen (S. 43).

1.5. Atlantis als Raum idealer Harmonie. – Der Reiz von Hoffmanns Raum-Evokationen liegt in der bizarren Mischung realer und phantastischer Elemente und in den Ambivalenzen, die den Leser im Ungewissen halten, ob sich Wunderbares tatsächlich ereignet oder der Held einer Sinnestäuschung erliegt. Die Ambivalenz der Wirklichkeit entsteht aus dem fluktuierenden Wechselspiel von Illusion und Desillusionierung; deshalb gewinnen Erfahrungswirklichkeit und Zauberwelt, für sich genommen, kaum Raum zur Selbstentfaltung.

Der miterzählte Autor, von Lindhorst in der 12. Vigilie aufgefordert, ins blaue Palmbaumzimmer zu kommen, schildert in hymnischem Ton seine Vision von Atlantis, d. h. die Szenerie eines Hochzeitszeremoniells, das Anselmus in der Gartenlandschaft eines Rokokoparks mit Serpentina vereinigt. Die Schilderung ist nicht auf Anschaulichkeit, sondern auf Überwältigung berechnet:

Die azurblauen Wände in Lindhorsts Bibliothek lösen sich in Dunst auf, die Palmbäume weiten sich zum unabsehbaren, von Klängen, glühenden Farben, Lichtern und Düften erfüllten Hain. Anselmus tritt auf. Mit allen Sinnen zugleich nimmt er die Botschaft der Natur auf, die ihn (in rhythmischer Prosa) mit den Düften der Blumen, den *glühenden Tönen* goldner Strahlen, dem Rischeln und Rauschen der Büsche und Bäume, dem Plätschern der Quellen und Bäche und dem *Jubelchor* der Vögel willkommen und verweilen heißt. In der Ferne erblickt Anselmus einen *herrlichen Tempel*. *Wunderbar bemooste Stufen* führen zu ihm hinauf. Anselmus betrachtet den *bunten Marmor*, die Säulen, die aus Bäumen, und die *Kapitäler und Gesimse*, die aus *Akanthusblättern* zu bestehen scheinen. Aus dem Innern des Tempels tritt Serpentina und trägt Anselmus den goldnen Topf entgegen, in dem eine *herrliche Lilie* entsprossen ist. Während sich die Liebenden umarmen, brennt die Lilie *in flammenden Strahlen* über Anselmus' Haupt, und die ganze Natur (Bäume, Büsche, Quellen, Vögel, Insekten, Diamanten, Springbäche und Elementargeister, die als *seltsame Düfte* mit *rauschendem Flügelschlag* daherwehen) feiert in Wasser, Luft und Erde ein Fest der Liebe (vgl. S. 99–101).

Nun fügt sich die Atlantis-Vision als letzte Steigerung durchaus sinnvoll in die artistischen Raum-Evokationen des Märchens ein. Trotzdem wirken das Überaufgebot an Sprachmitteln aus Jean Pauls Repertoire, die Verrätselung des epischen Vorgangs und die sprachliche Anstrengung verkrampft, weil die Alltäglichkeit als Zerrspiegel und Komplementärfarbe fehlt.

2. Das Zeitgerüst

Ähnlich bizarr wie mit dem Raum spielt Hoffmann mit dem Zeitgefüge. Dem Scheine nach richtet sich die Handlung gewissenhaft nach der Uhr und dem Kirchenkalender. Sie beginnt am *Himmelfahrtstage*, nennt einen Wochentag (*Mittwoch*) und gliedert sich nach dem Schlag der Dresdner Kirchturmuhren. In 25 epischen Szenen, die scheinbar pedantisch genaue Schauplatz- und Zeitangaben enthalten, entwickelt sich die »bürgerliche« Märchenhandlung, sie geht am 4. Februar, Veronikas Namenstag, mit einer Verlobung zu Ende.

Also durchströmt den *Goldnen Topf* eine wohlgeordnete, kontinuierlich »erzählte Zeit«? – Mitnichten!

Die Zeit bildet nur ein hauchdünnes Netz, das die Handlung zusammenhält und strukturiert; sie ist genauso ambivalent wie der Raum und das Personal des Wunderbaren. »Mitternacht« und »Dämmerung« sind zwar reale Zeitangaben, zugleich aber »magische Zeiten« (Miller), die zur Sphäre des Wunderbaren gehören.

So wie Hoffmann den dreidimensionalen Raum aufreißt und den Mythos als »vierte Dimension« darüberstülpt, beginnt er auch in höchst selbstherrlicher Weise mit jener Zeit zu spielen, die seine Dresdner Bürger an der Kirchturmuhr messen.

Der Mythos führt die »bürgerliche«, die kontinuierliche Zeit ad absurdum. Im ersten Abschnitt der in drei Teilen erzählten Atlantis-Mythe ist der Mythos »erinnerte Zeit«; denn er verfolgt die Dreiecksgeschichte zwischen Anselmus, Veronika und Serpentina in die Urgründe einer unendlich fernen Vergangenheit zurück und verknüpft sie

Die szenische Struktur der Märchenhandlung

Vigilie Szene	Bild	Handlung	Schauplatz/Verwandlung	Zeit
Erste und Zweite 1.	I. Erste Begegnung mit dem Wunderbaren	Anselmus rennt in den Äpfelkorb; Volksauflauf	Dresden: Schwarzes Tor / *Verwandlung* (»Verfolgungsfahrt«): Allee → Linke'sches Bad → Mauer mit Rasenplatz und Holunderbaum	3 Uhr nachmittags Himmelfahrtstag
2.		Anselmus' Monolog: Auftritt der Schlänglein; Spaziergänger kritisieren Anselmus' seltsames Betragen	Die Szene wird als neuer »Auftritt« (der Spaziergänger) in der 2. Vigilie fortgesetzt / *Verwandlung*: Linke'sches Bad → Pappelallee am Kosel'schen Garten → Elbufer	Finsternis
3.		Anselmus fährt mit Paulmann, seinen beiden Töchtern, Heerbrand und einem Schiffer in einer Gondel über den Strom	Elbe in Dresden / *Verwandlung*: Nachhauseweg in die Pirnaer Vorstadt	Nacht (Feuerwerk)
4.		Biedermeier-Familien-Idyll: abendliche Hausmusik (Klavier/Gesang)	Konrektor Paulmanns Wohnung in der Pirnaer Vorstadt / »harter Zwischenschnitt«: Anselmus' Traum von den Speziestalern	Nacht

5.	Anselmus sucht sein Schreibzeug zusammen und kleidet sich für den Besuch bei Lindhorst an	Anselmus' Zimmer; keine Requisiten *Verwandlung*: Stationen auf dem Weg zu Lindhorst: Conradis Laden in der Schlossgasse → weiter Weg zur Kreuzkirche	früher Morgen halb zwölf
6.	Verwandlung des Türklopfers und der Klingelschnur; Anselmus fällt in Ohnmacht	vor Lindhorsts »uraltem Haus« *harter Schnitt:*	zwölf Uhr
7.	Anselmus erwacht; Paulmann bemüht sich um ihn	Zimmer: Anselmus liegt auf seinem »dürftigen Bettlein«	
Dritte 8. II. Atlantis	Lindhorst erzählt den ersten Teil der Atlantis-Mythe; Stammtischlatein; »Rückblende« auf Anselmus' Abenteuer mit dem Türklopfer und seine innere Veränderung; Heerbrand stellt ihn Lindhorst vor	Kaffeehaus	Abend
Vierte	*»Zwischenakt« (vor dem Vorhang der »Erzählbühne«): Autor fordert »günstigen Leser« auf, sich in Anselmus' entrückten Zustand einzufühlen*		
9. III. Anselmus und der »Meister«	Anselmus begegnet Lindhorst auf einem Spaziergang; Lindhorst lässt ihn in den smaragdenen Spiegel blicken; Lindhorst fliegt als Stoßgeier davon; Kommentar des Spaziergängers	Rasenfleck; Mauer mit Holunderbaum beim Linke'schen Bad; Anhöhe über der Elbe	Abend, bei Sonnenuntergang tiefe Dämmerung

Fünfte 10.	IV. Veronikas Bündnis mit der »Hexe«	Gespräch Paulmann – Heerbrand über Anselmus; Veronikas innerer Monolog; Kaffeeklatsch	Paulmanns Wohnung *Verwandlung:* (Veronikas) Weg zur Elbbrücke, zum Seetor, zum roten Häuschen der Liese Rauerin	*Zeitverschiebung:* Szene spielt zwei Tage später als Szene 11 und 12; Mittwoch: beinahe 3 Uhr
11.		Gespräch: Veronika/Äpfelweib	Hexenküche des Äpfelweibs	
Sechste 12.	V. Anselmus' Lehrzeit	Anselmus bereitet sich auf Besuch bei Lindhorst vor		
13.		Ankunft und Gang durch Lindhorsts Haus; Beginn der Kopierarbeit; Mittagsmahl; Abschied		Schlag zwölf Uhr; Schlag 3 bis Schlag 4; 6 Uhr
Siebte 14.	VI. Das »feindliche Prinzip« (= Hexe) macht mobil	Paulmann geht zu Bett; Veronika bricht zum Spiegelguss auf	Paulmanns Wohnung	Abend, nach 10 Uhr
15.		Vorbereitungen zum Spiegelguss	irgendwo im Freien, an der Landstraße nach Dresden	Äquinoktialnacht (23. 9.) Regen, Sturm; nach 11 Uhr

Eingeschobene Leseranrede: Leser wird zum fiktiven Mit-Akteur beim Spiegelguss ernannt

		»harter Schnitt«	
	Spiegelguss; Eingreifen des Salamanders in Gestalt eines »ungeheuren Ad›ers«; Veronika fällt in Ohnmacht		heller Tag
16.	Veronikas Nervenzufälle; Anselmus im Metallspiegel; Dr. Ecksteins Krankenvisite	Paulmanns Wohnung	
Achte	VII. Anselmus' Lehrzeit: Einblick in Atlantis	Summarischer Bericht von Anselmus' bisheriger Tätigkeit bei Lindhorst	
17.	Gang durch den Hausgarten zur Bibliothek der Palmbäume	Lindhorsts Haus	
18.	Anselmus bei der Arbeit; Serpentina erzählt den zweiten Teil der Atlantis-Mythe	Bibliothek der Palmbäume	
19.	Lindhorst begleitet Anselmus zum Linke'schen Bad; Zusammentreffen mit Heerbrand; Lindhorst schnippt Feuer aus den Fingern; Heerbrand betrinkt sich	*Verwandlung:* Lindhorsts Garten → Straße → Linke'sches Bad	6 Uhr

			Zeitsprung:
25.	Veronikas Verlobung mit »Hofrat« Heerbrand an Veronikas Namenstag	Paulmanns Wohnung	Mehrere Tage und Wochen und Monate waren vergangen 4. Februar Mittag; Frostwetter
Zwölfte	*Zwischenakt: Der Autor an den »günstigen Leser«: Über die Schwierigkeiten beim Dichten*		
	XI. Entrückung nach Atlantis	Lindhorsts Einladungsbillett: Der Autor wird zur Märchenfigur	
26.	Der Autor bei Lindhorst; der Johannes-Kreisler-Punsch; Atlantis-Vision: Dritter Teil der Mythe Die Klage des Autors über die Unerreichbarkeit des Märchenglücks; Lindhorsts Trost: Die Poesie als »atlantisches« Besitztum des inneren Sinns	Bibliothek der Palmbäume	nach elf Uhr abends

Die Struktur der Zeit im *Goldnen Topf*

mythische Liebe in »Atlantis«-Zeit ⬅

»Der Geist schaute auf das Wasser ...«
erinnerte Zeit

Einbruch des Wunderbaren

Holunderbaum-Vision (1. Vigilie)

Lindhorsts Genesiserzählung (3. Vigilie)

Zauberring und Geier (4. Vigilie)

Ebene der mythisc...
erinnerte Zeit

Hexenküche (5. Vigilie)

Zaubergarten (6. Vigilie)

»Ins Kristall bald dein Fall«

Liese   Lindhorst

Ebene der empirischen Zei...

»überschreitung«

»Schwellen-

»Dresdner Zeit«: *bürgerliche Liebesgeschic...*

Himmelfahrtstag (3 Uhr)

»erzählte Zeit«

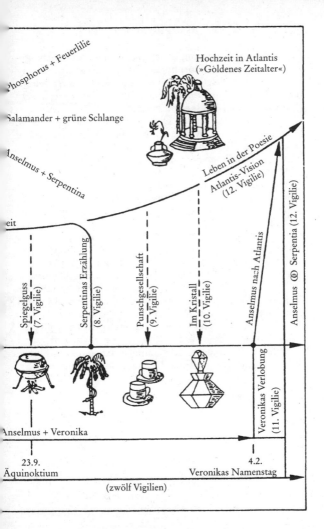

Phosphorus + Feuerlilie

Salamander + grüne Schlange

Anselmus + Serpentina

Hochzeit in Atlantis
(»Goldenes Zeitalter«)

Leben in der Poesie

Atlantis-Vision
(12. Vigilie)

...eit

Anselmus nach Atlantis

Anselmus ∞ Serpentia (12. Vigilie)

Spiegelguss
(7. Vigilie)

Serpentinas Erzählung
(8. Vigilie)

Punschgesellschaft
(9. Vigilie)

Im Kristall
(10. Vigilie)

Veronikas Verlobung
(11. Vigilie)

Anselmus + Veronika

23.9.
Äquinoktium

4.2.
Veronikas Namenstag

(zwölf Vigilien)

mit einer Art Schöpfungsgeschichte und mit der Liebesgeschichte zwischen Phosphorus und der Feuerlilie.

Zwar wird die Mythe auf weite Strecken in einem feierli-
chen Hymnenton vorgetragen, dazwischen aber mischt
Hoffmann in burleskem Übermut »erinnerte Zeit« von
spaßig-anachronistischer Diskontinuität: Phosphorus ist
erst 385 Jahre tot, weshalb Lindhorst noch Trauer trägt;
auch ist der Tod kein Einschnitt, der das Leben beendet,
vielmehr erlaubt er dem verärgerten toten Vater durchaus,
einen pietätlosen Sohn die Treppe hinunterzuwerfen, weil
er sich mit seinem Bruder zankt.

Die erinnerte Zeit des Mythos mündet im zweiten Abschnitt (in der Erzählung Serpentinas; 8. Vigilie) in die
Lindhorst-Anselmus-Äpfelweib-Handlung ein und setzt
sie fort. Während sich der »bürgerliche« Strang der Märchenhandlung am 4. Februar aus der Verschlingung mit
dem »Magisch-Mythischen« löst und mit Veronikas Verlobung endet, öffnet die als »Epilog« angeschlossene
26. Szene, die den Besuch des Dichters in Lindhorsts
Palmbaumzimmer und die Atlantis-Vision erzählt, einen
Ausblick in die Unendlichkeit des Mythos.

Im Rahmen der fantastischen Zeitstruktur dieser Gegen-
wirklichkeit wirken Zeitverschiebungen, Zeitsprünge und
Simultaneität geradezu konventionell (vgl. dazu die Skizze
S. 70/71: »Die Struktur der Zeit im *Goldnen Topf*«).

S. 70/71: Die Struktur der Zeit im *Goldnen Topf*
(aus: Paul-Wolfgang Wührl, *Das deutsche Kunstmärchen*,
Baltmannsweiler 2003)

3. Erzählerstandort und Erzählhaltung

3.1. Einmischungen des Autors als Illusionsdurchbrechung. – Viermal greift der in Ich-Form redende Autor direkt in den Erzählvorgang ein und fordert den Leser auf, seine Fantasie anzustrengen, eigene Erfahrungen beizusteuern oder selbst an dem Märchen mitzudichten.

Gleichsam in einer Art Zwischenakt vor den Vorhang der »Erzählbühne« (Jean Paul) tretend, fordert er in der 4. Vigilie den Leser auf, sich in Anselmus' Liebeskummer und seine diffusen Sehnsüchte nach dem Wunderbaren einzufühlen (vgl. 28,5–29). Außerdem soll er versuchen, in den Gestalten des Märchens seine Nachbarn aus dem *gemeinen Leben* wiederzuerkennen (vgl. 29,17–20).

In der 7. Vigilie (vgl. 57,27–59,27) ernennt er ihn kurzerhand zum Mitakteur und suggeriert ihm, er sitze in der Postkutsche nach Dresden und sei in den *Rembrandt'schen oder Höllenbreughel'schen* (59,3 f.) Hexenspuk der Spiegelgusszsene hineingeraten. Er habe sein *Taschenpistol* gezogen, um die händeringende Veronika im dünnen Nachtgewande zu schützen und die Hexe über den Haufen zu schießen – doch leider kam der Leser nicht des Wegs!

In der 10. Vigilie (vgl. 82,14–83,6) mutet er dem *günstigen Leser* zu, sich aus Mitleid mit Anselmus einen gewaltigen Punschkater auszumalen. Das mit dem Kater sagt er natürlich nicht; vielmehr bezweifelt er scheinheilig, dass der Leser jemals wie Anselmus *wie in einem festgefrornen Äther* (82,27) in einer gläsernen Flasche eingeschlossen gewesen sei.

Aber es kommt noch toller! In der 12. Vigilie (vgl. 96,10–32) jammert der als gedichtete Figur dazwischengeschobene Autor dem *günstigen Leser* über das mühselige Geschäft des Dichtens vor. Da tritt Lindhorst aus der abgeschlossenen Geschichte heraus, lädt ihn ins *blaue Palmbaumzimmer* (97,27) ein, bietet ihm Johannes-Kreisler-Punsch an und hilft ihm, als Salamander im Punschpokal auf- und niedersteigend, die Erzählung zu vollenden. Diese Schlussszene, die 26. des Märchens, fasst den dichterischen Schaffensprozess in einer allegorischen Handlung zusammen und deutet das Wesen der Poesie als »Verwandlung«. Am Ende klopft Lindhorst dem Autor auf die Schulter, tröstet ihn über sein *Dachstübchen* und erinnert ihn an seinen *artigen Meierhof*, den er als *poetisches Besitztum [seines] inneren Sinns* (102,2 f.) in Atlantis sein eigen nennt.

Alles das ist »romantische Ironie«, »Fiktionsnennung«, aus der Erzähltechnik eines Laurence Sterne (1713–1768) und Jean Paul. Sie entstammt dem »Wissen um die Korrelation zwischen Autor, Werk und Leser« (Strohschneider-Kohrs, S. 343) und gehört zur »Kunst des vielfach die Perspektiven wechselnden Erzählens« (ebd., S. 341). Sie durchbricht absichtlich die Illusion und entlarvt die erzählte Welt im *Goldnen Topf* als Fiktion.

Illusionsdurchbrechung und Reflexion bauen am Schluss einen allegorischen Zusammenhang auf, der den Sinn der Märchenfabel in einer eigenen Szene deutet und zugleich Dichtung zu Kunst erklärt. Objektivieren im Erzählen und Selbstbespiegelung in der Reflexion verbinden sich hier zu einer vielschichtigen, aus dem Geist romantischer Ironie geborenen Kunstform.

3.2. Multiperspektivismus und fluktuierende Erzählhaltung als Stiftung ambivalenter Märchenwirklichkeit. – Hoffmann destilliert aus der romantischen Ironie, die als Spiel im Spiel, als Fiktion der Fiktion immer wieder die Erzähldistanz durchbricht und augenzwinkernd eine Komplizenschaft mit dem »wissenden« Leser sucht, die Ambivalenzen, die das Wunderbare in die Dresdner Erfahrungswirklichkeit integrieren. Die Allwissenheit der auktorialen Erzählhaltung, die willkürliche Verfügungsgewalt über die Figuren, ist nur eine der wechselnden Attitüden.

Die Ambivalenzen sollen das Wunderbare als Kehrseite
der Wirklichkeit legitimieren; deshalb konstruiert Hoffmann jede Begebenheit so, dass sie »zum Schnittpunkt
zweier Sehweisen, zweier Perspektiven« (Preisendanz,
S. 90) wird. Der verwirrende Wechsel in einer fluktuierenden Erzählhaltung, die abrupte Verschiebung der Perspektiven konstituieren zudem die Ambivalenz des gesamten
Erzählvorgangs. Die Perspektive, unter der Anselmus die
ihn umgebende Welt erfährt, ist z. B. aus der personalen
Erzählhaltung gewonnen; zudem ist ihre »Brennweite«
variabel, weil der Erzählerstandort ständig wechselt. Deshalb sieht Anselmus das Interieur von Lindhorsts Haus
immer anders und neu (vgl. S. 47–50). So erlebt der
Leser den Raum als Funktion der Sensibilität des Helden.
Die jeweilige Raumwirkung ist an die Fortschritte und
Rückschläge in der Entwicklung des Anselmus zum romantischen Dichter gekoppelt.
Man kann dabei durchaus einen Realitätsrest in des Studenten Anselmus phantastisch-fluktuierendem Raumerlebnis erkennen. Man kann mit Preisendanz den Perspektivismus in der Sehweise des Studenten psychologisch als
Gefühl der Unterlegenheit deuten. Damit ist aber nicht erklärt, warum das Wunderbare erzählt so überzeugend
wirkt.
Desillusionierender Perspektivismus, der den gesamten
Erzählvorgang auf höchst reizvolle Weise mit romantischer Ironie durchsetzt, kommt auch durch die individuelle Perspektive verschiedenartiger Märchenfiguren ins
Spiel. Denn diese deuten, ihrer Mentalität entsprechend,
die Erscheinungen eben ganz anders als Anselmus, dessen
Sehweise sich der Leser weitgehend zu eigen machen
muss.
*»Erlauben Sie, das ist orientalischer Schwulst, werter Herr
Archivarius!«* (23,33 f.), bemerkt der Registrator trocken,
desillusionierend wie eine kalte Dusche, zu der von Lindhorst im hymnischen Ton der Genesis vorgetragenen

Phosphorus-Mythe. Die bürgerlich-realistische Perspektive des »gesunden Menschenverstands« bei den verschiedensten Anlässen bewirkt, dass das Wunderbare schlagar-
tig auf das Banale, Alltägliche reduziert oder als Rausch-
wirkung oder Geisteskrankheit denunziert wird. »*Der
Herr ist wohl nicht recht bei Troste!*« (12,6), sagt eine ehrbare Bürgersfrau, als Anselmus unter dem Holunderbaum
nach den entschwundenen Schlänglein *seufzt und ächzt.* –
»*Was treiben Sie denn um des Himmels willen für tolles
Zeug, lieber Herr Anselmus!*« (21,18 f.), erkundigt sich
Paulmann, um Anselmus' Geisteszustand besorgt, als dieser nach dem Zwischenfall mit dem Türklopfer und der
Riesenschlange vor Lindhorsts Haustür zusammengebro-
chen ist (2. Vigilie). Und die Kreuzschüler, die gleich ihm
in Kristallflaschen eingeschlossen sind, lachen ihn schlicht
als Narren aus (10. Vigilie; 84,29–32).
Der Perspektivismus, der sich aus abrupt wechselnden Er-
zählhaltungen ergibt, taucht nicht nur den gesamten Erzählvorgang in changierende Beleuchtung, sondern auch
einzelne Figuren, vor allem jene, die als Doppelgestalten
dem magisch-mythischen Bereich der »poetischen Wirklichkeit« angehören.
Besonders reizvolle Wirkungen erzielt dieser Perspektivismus bei Serpentina, dem singenden goldgrünen Schlänglein mit den dunkelblauen Augen. Serpentina hat keinen
bürgerlichen Wesensteil wie das Äpfelweib oder der Archivarius. Für Lindhorst allerdings ist sie eine heiratsfä-
hige Tochter, die er unter die Haube bringen möchte
(97,23 f.). Standesgemäß erzieht er sie zur großbürgerli-
chen »höheren Tochter« (50,10–13). Aus Anselmus' Perspektive aber erscheint sie als geheimnisvoll fluktuierende
und changierende Gestalt; zunächst als Schlänglein, dann
immer deutlicher mit den Persönlichkeitskonturen einer
extravaganten jungen Dame:
Zuerst ist sie ein *Dreiklang heller Kristallglocken* (10,5)
und ein sehnsuchtsvoller Blick (10,19 f.), später ein spre-

chender Blick (33,21) und ein geheimnisvoller Gesang
(53,4 f.). Schließlich erscheint Serpentina Anselmus als ein
Mischwesen aus Schlange und Mädchen: Sie schlängelt
sich als grüne Schlange am Stamm des Palmbaums herun-
ter; aber als Anselmus *schärfer hinblickte, da war es ja ein
liebliches herrliches Mädchen* (66,14 f.), das *ein flatterndes,
wie in schillernden Farben glänzendes Gewand* (66,21 f.)
hinter sich her durch die Stacheln der Palmbäume zieht.
Dieses Wesen kann sich auf *denselben Stuhl* mit Anselmus
setzen und *ihn mit dem Arm* umschlingen (66,25 f.). In der
10. Vigilie fängt sie den aus der Kristallflasche befreiten
Geliebten mit den Armen auf (vgl. 89,18), und in der
12. Vigilie *tritt* sie (aus der Perspektive des Autors gesehen) aus dem *Innern des Tempels* und *trägt* den goldnen
Topf (vgl. 100,19 f.).

Einen ähnlich raffinierten Perspektivismus treibt Hoffmann mit der Figur des Lindhorst: Bevor er als Person im
Märchen auftritt, hört der Leser seine Stimme über die
Elbe dröhnen (11,14–18). Dann lernt er ihn aus der Perspektive des Registrators Heerbrand als einen *wunderlichen [...] Mann* (18,20) kennen, dem die Dresdner nachsa-
gen, er treibe *geheime Wissenschaften* (18,21), während ihn
Heerbrand für einen *forschenden Antiquar* (18,23) und *ex-
perimentierenden Chemiker* (18,24) hält. Bevor der so
charakterisierte Mann, der in einem abgelegenen Haus
wohnt und seltene Manuskripte besitzt, sichtbar wird,
hört der Leser nochmals seine Stimme. Es ist die des Geisterfürsten, der den ersten Teil der Atlantis-Mythe erzählt
(21,23–23,33).

Erst als Heerbrand mit seinem Einwurf, das sei *orientalischer Schwulst,* die feierliche Stimmung zerstört, wird klar,
dass Lindhorst seinen Stammtischbrüdern im *Kaffeehaus*
(25,3) eine bizarre Erzählung präsentiert, die sie mit Un-
verständnis quittieren. Blitzschnell kehrt er den »bürgerlichen Aspekt« seines Wesens hervor und gibt mit beißen-
dem Sarkasmus Stammtischlatein zum besten, die Anek-

dote von seinem Bruder, der *unter die Drachen* (24,26)
ging.

Die späteren Begegnungen mit dem Sonderling, Bürger
und Geisterfürsten Lindhorst erlebt der Leser aus der Perspektive des Anselmus, die letzte aus der Perspektive des
zur Märchenfigur avancierten Autors: Der Erzähler liest
die im verschnörkelten Kanzleistil formulierte, von Sar-
kasmen durchsetzte Einladung; er sieht Lindhorst den
Schlafrock abwerfen und im Punschpokal verschwinden,
spürt sein Schulterklopfen und hört die tröstenden Worte,
des Anselmus Seligkeit in Atlantis sei ein *Leben in der
Poesie* (12. Vigilie; 102,4).

4. Regie und Blickführung im Erzählvorgang

Zur Modernität von Hoffmanns Märchen gehört auch der
Verzicht auf die behagliche »Es-war-einmal«-Einleitung
des Volksmärchenerzählers. Sechsmal springt Hoffmann
unmittelbar in eine Situation hinein. Er behandelt den Leser dabei wie einen Zuschauer im Theater, der ein Bühnenbild und Spieler vor sich sieht. Er lässt ihn zuerst Worte vernehmen und stellt dann erst den Sprecher vor; er
führt also im Erzählvorgang Regie und wendet dabei eine
»Blickführung« (Just) an, die an das Sehen durch den Su-
cher einer Kamera erinnert:

In der 2. Vigilie hört der Leser zuerst den entrüsteten
Ausruf einer ehrbaren Bürgersfrau (12,6), in der 3. Vigilie
die Stimme des Geisterfürsten (21,23), die 5. Vigilie eröff-
net ein Dialog Paulmann/Heerbrand (36,8f.), ähnlich wie
in der 11. Vigilie, nur ist hier nach der Frage des Konrektors »*Aber sagen Sie mir nur, wertester Registrator, wie
uns gestern der vermaledeite Punsch so in den Kopf steigen
und zu allerlei Allotriis treiben konnte?*« (89,25–27) eine
längere »Regiebemerkung« eingeschaltet, ehe Heerbrand
antwortet. Die 6. Vigilie beginnt mit einem Selbstgespräch

des Anselmus (46,18f.) und die 7. Vigilie mit einem biedermeierlichen Familienidyll, das aber nach wenigen Sät-
zen in den Höllenspuk der Spiegelguss-Episode umschlägt
(55,8 ff.).

»Blickführung«, die an eine Kamerafahrt im Film erinnert,
steckt schon in der dramatischen Eröffnungsszene des
Zwischenfalls am Schwarzen Tor. Aus dem Zusammen-
stoß des tölpelhaften Studenten mit dem Äpfelkorb des
Marktweibes entwickelt sich, unter Beteiligung der Marktfrauen, Straßenjungen und Passanten, ein »Volksauflauf«.
Als sich Anselmus freigekauft hat und aus dem Ring von
Menschen davonschießt, folgt ihm die »Kamera« des all-
wissenden Erzählers (dieser spricht aus, wie Anselmus zu-
mute ist) durch die Allee bis zum Linke'schen Bad (vgl.
5,17–6,20).
Genau geplante Blickführung durchzieht auch die Szene
unter dem Holunderbaum (vgl. 9,21–10,22), die Anselmus' erste Begegnung mit Serpentina darstellt: Ein Rieseln
und Rascheln, das sich zu Kristallglockentönen und zu
vernehmbaren Worten steigert, lenkt Anselmus' Augen
nach oben, in die Richtung, aus der die Töne aus dem
Holunderbaum dringen. Dort erblickt er die drei Schlänglein, und seine Versuche, das Gesehene als Sinnestäuschung zu entlarven, scheitern: er hat richtig gesehen! Aus
dem Richtigsehen wird dann ein Deutlichersehen: Das
weite Elbpanorama versinkt, die »Einstellung« verengt
sich zum »Detail«; Anselmus' Blick (und mit ihm der
des Lesers) fixiert sich auf ein einziges Augenpaar. Die
aus dem »Unwirklichen herabstoßenden Schlangenaugen«
(Just) und das Fixieren des Blicks erzwingen die Kommu-
nikation mit dem Wunderbaren (vgl. Just, S. 391 f.).

5. Die epische Integration des Wunderbaren

Hoffmanns Evokationen des Wunderbaren kulminieren in
der 4. Vigilie, in der Szene, in der Lindhorst vor Anselmus'
Augen als Geier davonzufliegen scheint (vgl. 35,5–22).
»Blickführung« kombiniert Reales und Irreales so raffi-
niert, dass die Züge des Archivars in der enteilenden Figur
mit den Gestaltumrissen eines Geiers verschmelzen. Hoffmann hat eine Beschreibungstechnik entwickelt, die ihm
erlaubt, die »Schwellenüberschreitung« zum Wunderbaren
in Form einer optisch sinnfälligen »Grenzverwischung«
(Just) sichtbar zu machen, und zwar als eine Art oszillie-
rendes, flimmerndes Bild mit unscharfen Rändern.
Der magische Vorgang: Anselmus und der Leser haben dieselbe Position bezogen und besitzen dieselbe Perspektive.
Der Erzähler wiederum geht von realen Elementen aus, die
er durch die Verwendung ambivalenter Sprachmittel, durch
Wie-Vergleiche und Als-ob-Eindrücke verzerrt. Zwar ist
plötzlich ein Geier vorhanden, doch beziehen ihn die kor-
respondierenden Wendungen *noch immer – schon eben* in
die Täuschung mit ein und entfremden das reale Objekt
Geier seiner Realität, ein Vorgang, den Anselmus nachträg-
lich interpretiert (vgl. Willenberg, S. 95): Schon durch Farbe und Schnitt begünstigt der *weite, lichtgraue Überrock*
(31,8 f.) des rasch talwärts ausschreitenden Lindhorst den
Gestaltentausch mit dem Geier, weil er Assoziationen zu
einem Gefieder weckt. Auch ist die *tiefe Dämmerung*
(35,6) eingebrochen, und der Abendwind, der von der Elbe
heraufweht, treibt die Rockschöße auseinander, so dass
diese *wie ein Paar große Flügel in den Lüften* (35,10 f.) flattern. Anselmus blickt vom nördlichen Elbufer bei Dresden
hangabwärts nach Westen; da in Bodennähe die Dämmerung am dichtesten wirkt, bleiben Rumpf und Kopf des
Archivarius gegen den helleren westlichen Himmel länger
sichtbar als die Beine (vgl. Preisendanz, S. 94). Solange Anselmus Lindhorst nachsieht, kommt es ihm nur so vor, »als

ob« ein großer Vogel die Fittiche ausbreite. Bis hierher also übersetzt sein Auge die Veränderungen an dem forteilenden Archivarius in die Sehkonventionen zurück (vgl. Miller, S. 368). Aber dann *starrt* er, ohne den Blick zu fixieren, nur noch *so in die Dämmerung hinein …* (35,14). Als sich ein *weißgrauer Geier* (35,15 f.) krächzend erhebt, wird aus dem wahrnehmungslosen »Starren wieder ein gerichtetes Sehen, und das weißgraue Gefieder lenkt das Bewußtsein assoziativ auf den windbewegten hellgrauen Überrock des Archivarius, aber dieser ist inzwischen auf Grund der optischen Bedingungen unsichtbar geworden« (Preisendanz, S. 94 f.). Jetzt muß sich Anselmus eingestehen, dass das, was er für den Archivarius gehalten, auch *schon eben der Geier gewesen sein müsse* (35,18 f.). Wie das Nachbild auf einem Bildschirm bleibt »in die Figur des Geiers die Figur des Archivarius eingeschlossen« (Just, S. 393). Anselmus begreift das alles nicht; denn die aus der Wirklichkeitserfahrung abgeleitete Erklärung für das vogelgleiche Ausschreiten und Entschwinden Lindhorsts führen ins Unerklärliche. Er kann sich mit einem »Als ob« nicht mehr abfinden und muss sich eingestehen, dass der Archivarius *auch selbst in Person davongeflogen* (35,21) sein kann (vgl. Miller, S. 368).

Das »nachträglich-plötzliche Gewahrwerden« (Miller, »E. T. A. Hoffmanns doppelte Wirklichkeit«, S. 368) des eigentlichen Seins durchbricht die Erfahrungsrealität. Jäh erweitert sich das Auffassungsvermögen des Studenten, und damit hat er die »Schwelle zum Wunderbaren« hinter sich gelassen (vgl. ebd., S. 368). Es kann aber auch sein, dass sich die »Welt des Wunderbaren […] erst in Anselmus' Kopf aufgebaut« hat (Willenberg, S. 96).

Hoffmann verfügt über ein ganzes Arsenal magischer Tricks: Neben den »Metamorphosen« wie der beschriebenen verwendet er auch den »Pananimismus«, die fantastische Beseelung aller Dinge: Schlangen singen, ein Holunderbaum und der Abendwind flüstern, ein Papagei bestellt

eine Botschaft, wie ein richtiger Famulus, und ähnliches
mehr. Auch stiftet der Dichter fantastische Kausalzu-
sammenhänge: Aus einem Tintenklecks fährt ein *blauer
Blitz* (81,19), Feuer erstarrt zur *festen eiskalten Masse*
(81,36), ein Kater springt aus dem *Tintenfasse, das auf
dem Schreibtische* (86,28 f.) steht, aus dem Innern des Archivarius scheinen *flackernde zischende Strahlen* (88,7 f.)
zu fahren, aus den Augenhöhlen des Katers, dem der Papagei die Augen ausgehackt hat, spritzt *der brennende
Gischt* (88,17 f.) usw.

6. Der Spiegel als magisches Requisit

Im *Goldnen Topf* spielt der Topos vom »magischen Spiegel« eine geradezu leitmotivische Rolle. Hoffmanns Beschreibungstechnik nimmt gleichsam die »Totalsprache«
des Fernsehens vorweg und vergegenwärtigt, wie die
»Spiegelbeschwörung« in der 4. Vigilie (vgl. 33,6–29)
zeigt, auch die fantastischsten Vorgänge vorstellbar:
Während sich Lindhorst mit ihm unterhält, beginnen sich
für Anselmus *Holunderbusch, Mauer und Rasenboden
und alle Gegenstände ringsumher leise zu drehen* (33,1–3).
Der »optische Sog« (Just) konzentriert den Blick des Lesers auf den Smaragdring, den Lindhorst an der *linken
Hand* (33,6) trägt. Wie hypnotisiert starrt Anselmus auf
den *in wunderbaren Funken und Flammen blitzenden
Stein* (33,6 f.), und dessen Strahlen verspinnen sich vor
seinen Augen *zum hellen leuchtenden Kristallspiegel*
(33,13 f.), in dem die drei Schlänglein körperlich greifbar
erscheinen. Serpentina streckt sogar *wie voll Sehnsucht
und Verlangen das Köpfchen zum Spiegel heraus* (33,19 f.).
Aber dann haucht Lindhorst auf den Spiegel; die Strahlen
fahren in den Fokus zurück. Lindhorst hat also ein magisches Requisit, einen magischen Spiegel bei sich, der ihm
Television ermöglicht (vgl. auch Anm. zu 33,26 f.). – Auch

der Metallspiegel des Äpfelweibs funktioniert als Bildschirm und Instrument magischer (bzw. magnetischer)
Beeinflussung. Er evoziert nicht nur Anselmus' Bild,
sondern verrät auch seine ambivalenten Gefühle für Veronika und Serpentina (vgl. auch Anm. zu 61,30–62,13). –
Schließlich ist auch der goldne Topf ein magischer Spiegel
und zugleich Anselmus' Seelenspiegel: Ein Erdgeist hat
ihn mit den Strahlen des Diamanten poliert. So spiegelt
sich für Anselmus, der schon einen Widerschein des herrlichen Reiches in seiner Seele aufgefangen hat, mitten in
irdischer Armseligkeit in seinem Glanz Atlantis (vgl. 50,1–
50,8 und 70,10–17).

III. Die Atlantis-Mythe

1. Der geistesgeschichtliche Zusammenhang:
Novalis – Schelling – Schubert

»Ein Märchen ist wie ein Traumbild, ohne Zusammenhang. Ein Ensemble wunderbarer Dinge und Begebenheiten [...]. In einem echten Märchen muß alles wunderbar, geheimnisvoll und unzusammenhängend sein; alles belebt. Jedes auf andere Art. Die ganze Natur muß auf wunderliche Art mit der ganzen Geisterwelt vermischt sein« (Novalis, *Schriften*, Bd. 2, Jena 1907, S. 308 f.; Fragment 415 und 416). Mit diesen an Goethes *Märchen* (1795) orientierten poetologischen Fragmenten forderte Novalis das »absolute Märchen«, d. h. ein pananimistisches Märchen, das alle Dinge fantastisch beseelt.

In der Atlantis-Mythe erfüllte Hoffmann diese Forderung; denn in ihr vermischt sich (ähnlich wie in *Hyazinth und Rosenblütchen*, um 1798) die ganze Natur mit der Geisterwelt.

Der Totalität des Wunderbaren im Sinne des Novalis entspricht inhaltlich die Berührung mit der Botschaft seiner Märchen, die in symbolisch-allegorischer Einkleidung die Hauptthese des »magischen Idealismus« veranschaulichen: Danach liegt das Ziel der Geschichte in der Einschmelzung aller Unterschiede zu einem vernünftigen Chaos, in der Erlösung der Welt durch die Wiederkehr eines »Goldnen Zeitalters«. Hoffmann nahm die aus der Antike stammende Utopie vom »Goldnen Zeitalter« auf, wandte sie aber ins Ästhetische. Anselmus findet Atlantis in einem *Leben in der Poesie* (102,4) d. h. in der Dichtkunst. Die Atlantis-Mythe entwickelt eine triadische Denkfigur (vgl. Skizzen S. 86/87 und 102/103), und dem entspricht formal die in drei Abschnitten in den *Goldnen Topf* als Märchen im Märchen eingeschobene Mythe:

Atlantis = Leben in der Poesie

(1) Am Stammtisch (3. Vigilie; 21,23–23,33) erzählt Lindhorst eine Schöpfungsgeschichte; sie beschreibt den Urzustand der Welt als Harmonie von Geist und Natur. – (2) Serpentina schildert Anselmus, der ein geheimnisvolles Manuskript kopieren soll (8. Vigilie; 67,26–71,34), den »Sündenfall« des Salamanders, seine Austreibung aus dem Paradies und den Zustand der Entfremdung von der Natur im gegenwärtigen Zeitalter. – (3) Den Beginn der Welterlösung erlebt Anselmus als fantastische Fortsetzung seiner eigenen Biographie; visionärer Berichterstatter ist der Autor selbst (12. Vigilie; 99,13–101,15). Nach Atlantis entrückt, feiert Anselmus mit Serpentina mystische Vermählung. Dadurch erhält sein Einzelschicksal symbolische Bedeutung für das Weltganze, das mit dem Einzelnen durch die »Weltseele« in inniger Harmonie steht.

Hoffmann führt die Erlösungsmythe nicht zu Ende. Sobald Anselmus seine Sezession nach Atlantis vollzogen hat, bricht er sie ab. Zugleich relativiert die Figur des Archivarius Lindhorst, um dessen Erlösung es im mythischen Strang der Märchenhandlung eigentlich geht, die Utopie von der Rückkehr ins Goldne Zeitalter durch die Wendung ins Ästhetische: Lindhorst deutet ja dem Autor *des Anselmus Seligkeit* (102,3 f.) als ein *Leben in der Poesie* (102,4). Es könnte also durchaus sein, dass in der von Anselmus vorweggenommenen Einkehr ins Goldne Zeitalter die reale Utopie einer »unentfremdeten Arbeit« (Willenberg, S. 111) zu sehen ist. Anselmus' Aufenthalt in Atlantis wäre demnach die Allegorie einer ästhetischen Existenz: Ein künstlerisch empfindender Mensch, der sich ausschließlich dem

S. 86/87: Die triadische Denkfigur in der Atlantis-Mythe;
Figurenkonstellation und Geschehnisraum im *Goldnen Topf*
(aus: Paul-Wolfgang Wührl, *Das deutsche Kunstmärchen*,
Baltmannsweiler 2003)

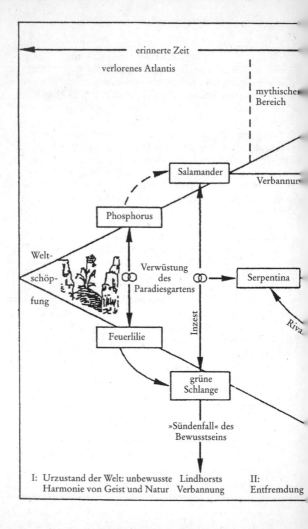

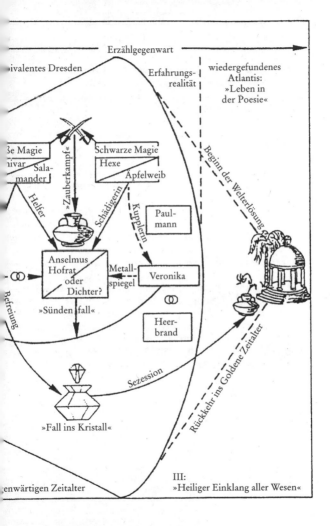

Dichten widmet (vgl. Anm. zu 62,29–63,13) und dabei
glücklich ist, führt das von Sachzwängen und Alltagssor-
gen befreite, pflichtenlose Leben eines Schöngeistes, der
narzisshaft seine eigene Sensibilität genießt.

Hoffmann hat in der Atlantis-Mythe die naturphilosophischen Spekulationen Friedrich Wilhelm Schellings (1775–
1854) in einen »dialektischen Mythos« übersetzt. Für
Schelling war die Natur ein lebendiger Organismus, ihr
letzter Grund ein bewusstloses, aber in ständiger Produk-
tivität befindliches geistiges Prinzip: die »Weltseele« oder
die sich durch die Natur offenbarende Gottheit.

Der bewusstlose Geist produziert aus sich heraus die Natur; dabei spaltet er sich in zwei Kräfte, die sich gegensei-
tig begrenzen und sich in steter »Potenzierung« (Schubert
nennt dies »kosmische Momente«, vgl. S. 97) schließlich
im Menschen bis zum Bewusstsein steigern. Die »erste
Potenz« ist die Materie. In drei Stufen, über Magnetismus,
Elektrizität und chemische Prozesse, wandelt sie sich um,
bringt die mannigfaltigen anorganischen Produkte und, als
»zweite Potenz«, die organische Welt hervor. Deren Fort-
entwicklung wiederum liegt in der ständigen Veränderung
von Sensibilität, Irritabilität und Bildungstrieb. Sie bewirkt, dass die Organismen immer ausgeprägtere Individualität entwickeln. Ein letzter potenzierender Akt bringt
schließlich das Selbstbewusstsein im Menschen hervor
(vgl. Ochsner, S. 49 ff.).

Alles bewusste Leben bestand also für Schelling aus einer
Potenzierung des Unbewussten. Die Existenz des Unbewussten und die Allverbundenheit aller Wesen bewiesen
die Psychologen der Romantik durch das »somnambule
Unterbewusste«. Als Belege dienten ihnen Erscheinungen
wie der »tierische Magnetismus« (Mesmerismus), Vorah-
nungen, Träume und Sympathien oder die Vorempfindung
kommender Wetterveränderungen. Diese Phänomene er-
klärten sie aus der Harmonie des Einzelnen mit dem Ganzen (vgl. Ochsner, S. 51 f.).

Die Generation der Romantiker war mit der Lehre Kants
aufgewachsen, die besagte, dass zwischen Geist und Sinnlichkeit eine unüberbrückbare Kluft bestehe, eine »kosmische Dualität«. Schellings Identitätssystem und die Frei-
heitslehre (entwickelt zwischen 1804 und 1815) über-
brückten diese Kluft und nahmen der Sinnlichkeit den
Charakter der Geistfeindschaft. Schelling löste die zentrale Frage, wie sich das absolut Geistige und Göttliche in
die ihm wesensfremde endliche Materie verwandeln könne, im Sinne Jakob Böhmes (1575–1624): Danach liegt der
»Sündenfall« im Abfall der Ideen von Gott.

Aus unerklärlichem Verlangen nach Selbstständigkeit haben sich die Ideen vom Göttlichen losgelöst und irdische
Gestalt angenommen. Als Sühne müssen sie die ganze Na-
turentwicklung durchlaufen. Der »Sündenfall« des Abfalls
der Ideen von Gott ist zugleich die Weltschöpfung; denn
die Gottheit treibt, voll Sehnsucht nach ihrer eigenen
Vollendung, eine Welt aus sich hervor und wird zur unbegreiflichen Basis aller Realität. Das Universum ist also eine
»Selbstentwicklung der Gottheit in sich, aus sich und zu
sich selbst« (Egli). Daher hat die Natur ihren Grund im
Wesen Gottes selbst, und das eigentlich Böse fällt der Unvollkommenheit Gottes zur Last. In allem Geschaffenen
liegt die Sehnsucht des unvollendeten Gottes nach Vollkommenheit. Der Mensch allein, mit Selbstbewusstsein
begabt, kann die ursprüngliche Sehnsucht des Ewigen
nach Vollendung erkennen und sich als Teil der göttlichen
Substanz bewusst werden. Deshalb beginnt der unvollen-
dete Gott im Menschen seine Befreiung. Aus freiem Entschluss kann der Mensch die Aufgabe seiner Individualität
in der umfassenden Gottheit wollen. Das ist zugleich das
letzte Ziel der Weltgeschichte. Die leidvolle Entwicklung
der Gottheit gelangt an ihr Ende, und alle Kreatur geht,
von der wissenden Menschheit erlöst, in die ewig unbe-
wegte Ruhe der Gottheit ein (vgl. Egli, S. 52 ff.; Zusammenfassung der Ausführungen Eglis bei Ochsner, S. 18).

Hoffmann lernte Schellings Naturphilosophie vor allem
aus den *Ansichten von der Nachtseite der Naturwissen-
schaft* (1808) des sächsischen Arztes Gotthilf Heinrich
Schubert (1780–1860) kennen. Schubert übernahm Schellings Vorstellung von der »Weltseele« und der Harmonie
des Einzelnen mit dem Ganzen. Als Beweise galten ihm
der »tierische Magnetismus« und der »hypnotische Som-
nambulismus«.

Auch bei Schubert bringt die »Weltseele« zwei polare
Kräfte hervor, die »Basis« und den »höheren Einfluss«,
also ein mütterlich-empfangendes und ein väterlich-zeu-
gendes Prinzip. Das System der Fixsterne, Planeten und
Kometen, die man sich als Lebewesen vorstellen muss,
bildet sich aus einer gestaltlosen leuchtenden Flüssigkeit,
die Materie wiederum aus der sich verfinsternden leben-
den Natur. »Höhere Einflüsse« wirken aber auf die neue
»Basis« ein und bringen das organische Leben hervor. In
»kosmischen Momenten« entstehen Pflanzen, aus diesen
Tiere, und zuletzt entsteht der Mensch. Jedes Wesen sehnt
sich nach der nächsthöheren Entwicklungsstufe. Sie ist bereits als Keim, als Embryo, in ihm verborgen, und kurz
vor seinem Tode bricht das neue Wesen aus ihm heraus
(vgl. 67,36–68,4). Die anorganischen Körper haben ihre
»kosmischen Momente« im Augenblick höchster Erstarrung, wenn sie in organisches Leben übergehen. Die
Pflanzenwelt hat zur Zeit der Fortpflanzung eine Vorah-
nung tierischen Lebens, und die Tierwelt sehnt sich nach
der menschlichen Daseinsform. Der Mensch wiederum
verzehrt sich nach einem höheren Ideal, nach der Welt der
Poesie und der Religion.

Nach Schubert ist dem Menschen im »hypnotischen Som-
nambulismus« (also im Zustand hypnotischer Entrückung) ein »kosmischer Moment« vergönnt. Dann erwacht in ihm der Keim eines Daseins, das ihm die Weltseele und den Zusammenhang aller Dinge bewusst macht
(vgl. Ochsner, S. 51 ff.).

Für Hoffmann war Schuberts Naturphilosophie eine Offenbarung, die Verheißung eines höheren Daseins nach Tod und Verwesung (vgl. Egli, S. 70).

Wie Egli (S. 70 ff.) nachgewiesen hat, erstrecken sich die Parallelen zu Schuberts *Ansichten* nicht nur auf die Grundvorstellungen, sondern bis in Einzelzüge (»Lilie« und »Jüngling Phosphorus«). Hoffmanns Mythe setzt zwar nicht mit der Emanation (d. h. dem Ausfließen) der Welt aus dem göttlichen Geist ein, folgt aber doch in den Hauptlinien der Schelling-Schubert'schen Weltschöpfungslehre.

Die 3. Vigilie (21,23–23,33) schildert zunächst die Urzeit und dann die »kosmischen Momente« der Entstehung des organischen Lebens mit Pflanzen und Tieren, aber auch die Zerstörung der unbewussten Einheit in der unreflektierten Anschauung: Der Funke des Gedankens, das denkende Bewusstsein, zerstört die Anschauung und trägt einen tiefen Zwiespalt in die Schöpfung, deren Einheit nur mühsam gewahrt werden kann. Zugleich entsteht mit dem Drachen ein widergeistiges »feindliches Prinzip«, für das es bei Schubert kein Vorbild gibt.

Die 8. Vigilie (67,26–71,34) schildert dann eine ähnliche Konstellation: Die Leidenschaft des Salamanders verbrennt die grüne Schlange, die ihr Dasein einem potenzierenden Akt der Lilie verdankt, zu einem geflügelten Wesen (68,23). Da es entflieht, verwüstet der Salamander in wahnsinniger Verzweiflung den Paradiesgarten, wird zur Strafe aber vom Geisterfürsten Phosphorus in die Menschennatur verbannt und den *kleinlichsten Bedrängnissen des gemeinen Lebens* (70,25 f.) unterworfen. Die Figur des Salamanders ermöglicht es dem Erzähler, die magische Welt der Mythe, die eine Art »Rahmengeschehen« enthält, mit der in Dresden lokalisierten Binnenhandlung um Anselmus, Serpentina und Veronika zu verknüpfen. Denn der in der »mythischen Zeit« beheimatete Salamander spielt auch als Archivarius Lindhorst auf der Ebene der »realen Zeit« eine zentrale Rolle.

In der 12. Vigilie geht es um den Beginn der Welterlösung, die Rückkehr in das Goldne Zeitalter. Die Atlantis-Vision (99,13–101,15) handelt davon, dass der Zwiespalt zwischen der Menschheit und der Natur auszuheilen beginnt. Anselmus ist der Erste von den drei gesuchten Jünglingen, die sich ganz dem Glauben an die höhere Welt hingeben und so den *heiligen Einklang aller Wesen als tiefstes Geheimnis der Natur* (102,5 f.) wiederherstellen.

2. Interpretationsansätze

Der Philosoph OTTO FRIEDRICH BOLLNOW (1903–1991) deutet die Atlantis-Mythe aus existenzphilosophisch-anthropologischer Sicht als Zeugnis stimmungshafter Lebenserfahrung in »vorbegrifflicher Form«. Ihn fasziniert Hoffmanns Idee, durch Traum und dichterische Fantasie die im heutigen Tagesbewusstsein bestehende Entfremdung von der Natur aufzuheben:

»Der Schlüssel zum Verständnis des Ganzen liegt also in dem eingeschobenen Märchen vom Jüngling Phosphorus und der Feuerlilie. Hier wird man also zuerst einsetzen müssen. Es beginnt mit dem Satz: ›Der Geist schaute auf das Wasser, da bewegte es sich und brauste in schäumenden Wogen und stürzte sich donnernd in die Abgründe, die ihren schwarzen Rachen aufsperrten, es gierig zu verschlingen.‹ Dieser Anfang ist wohl als bewußter Anklang an den biblischen Schöpfungsmythos zu verstehen, wo in ähnlicher Weise der Geist Gottes über den Wassern schwebte, und macht schon dadurch den mythischen Anspruch des so beginnenden Märchens deutlich. So ist das Verhältnis von Geist und Wasser die Polarität von Geist und zunächst flüssig vorgestellter Materie. Aber sehr bezeichnend für den weiteren Fortgang ist jetzt, wie die Zweiheit gleich zu Anfang zur Dreiheit erweitert

wird: Unterhalb des Wassers sind die Abgründe, die ihren Rachen aufsperren, um das Wasser zu verschlingen,
sobald es unter dem Einfluß des Geistes in Bewegung
geraten ist. Dem oberen geistigen steht ein unteres dämo-
nisches Prinzip gegenüber, so daß diese Welt in die Auseinandersetzung der beiden einander feindlichen Prin-
zipien hineingestellt ist. Dieser Ansatz wird dann im
ganzen weiteren Fortgang wirksam. Die Annahme eines
eignen widergeistigen Prinzips macht das Besondre aus,
durch das sich E. T. A. Hoffmanns Welt als düster und
bedrohlich von der heiteren Märchenwelt bei Novalis
unterscheidet.
Jetzt geht es, in einem abgerissen-altertümlichen und bewußt dunklen Stil, weiter: ›Wie triumphierende Sieger
hoben die Granitfelsen ihre zackicht gekrönten Häupter
empor, das Tal schützend bis es die Sonne in ihren müt-
terlichen Schoß nahm und, es umfassend, mit ihren
Strahlen wie mit glühenden Armen pflegte und wärmte.‹
Die ursprüngliche Polarität kehrt also wieder als die von
Sonne und Erde, vom Tal und insbesondre von jenem
schwarzen Hügel darin, der sich, wie die Brust des Menschen, vor Sehnsucht hob und senkte. Da über das Verhältnis weiter nichts gesagt wird, wird man diese Polarität mit jener ersten von Geist und Wasser gleichsetzen
können. In der Berührung jedenfalls von Sonne und
Erde erwachsen ›tausend Keime, die unter dem öden
Sande geschlummert, aus dem tiefen Schlaf‹, wobei die
Sonne bezeichnenderweise, doch wohl nicht ganz folge-
richtig gedacht, als die Mutter erscheint, jedenfalls im
Einklang mit der im grammatischen Geschlecht sich aus-
drückenden mutterrechtlichen Tradition der deutschen
Sprache. Aber in demselben Zusammenhang taucht so-
gleich auch wieder das dritte, das widergeistige Prinzip
auf, nämlich in Gestalt der Dünste, die aus den Abgrün-
den emporsteigen und das Antlitz der Mutter zu verhüllen suchen. Nach Überwindung der Dünste entspringt

unter dem Strahl der Sonne als vornehmster der Keime
die Feuerlilie.

Ihr begegnet dann der strahlende Jüngling Phosphorus,
womit die ursprüngliche Polarität jetzt in neuer, gestalte-
terer Form wiederkehrt, Phosphorus, der Morgenstern in
der Sprache der alten Astrologie, der Lichtträger und an
späterer Stelle auch ausdrücklich als Sohn der Sonne bezeichnet. Damit tritt neben die weibliche, wärmende und
belebende, mütterliche Sonne jetzt das männliche, verzehrende und auch zerstörende Feuer – wobei das nähere
Verhältnis dieser Gewalten allerdings im Dunkel bleibt.
Jedenfalls handelt es sich jetzt um die Polarität von Feuerlilie und Phosphorus, der aus dem irdischen Stoff er-
wachsenen organischen Natur und dem göttlichen Feuer.
Der Jüngling wirft den Funken in die Feuerlilie, der sie
entzündet und in ein schnell entfliehendes Wesen verwandelt, damit also ihr und sein Glück zugleich zerstört.
›Dieser Funke ist der Gedanke‹, so wird jetzt ausdrücklich erläutert und damit der symbolische Sinn des Mythos
klar hervorgehoben. Dieser Funke ist das denkende Bewußtsein, das in das in der Feuerlilie verkörperte unbewußte Leben der Natur einbricht. Dieser Einbruch des
Bewußtseins aber bringt eine völlige Revolution im stillen
Leben der Natur hervor, wie sie in der Ankündigung näher bestimmt wird: ›Die Sehnsucht, die jetzt dein ganzes
Wesen wohltätig erwärmt, wird in hundert Strahlen zer-
spaltet, dich quälen und martern, denn der Sinn wird die
Sinne gebären, und die höchste Wonne, die der Funke
entzündet, den ich in dich hineinwerfe, ist der hoffnungslose Schmerz, in dem du untergehst, um aufs neue fremd-
artig emporzukeimen.‹ Die Wirkung des denkenden Bewußtseins ist also die Zerspaltung des unbewußt einheit-
lichen, dem Göttlichen still zugewandten Strebens in
zusammenhanglose und einander widerstreitende Einzel-
kräfte, die Zerspaltung des göttlichen Sinns in die isolierten und in ihrer Isolierung nur noch dem Irdischen ver-

hafteten Sinne. Aber zugleich erwächst aus dem Feuer der
Bewußtwerdung der verzehrende, höchste Lust und tiefsten Schmerz in sich vereinigende Vorgang, in dem das
Wesen untergeht und (wie der Phönix aus seiner Asche)
neu hervorgeht.
Dieses Problem, von der zerstörenden und in höherer
Einheit dann doch wieder zu heilenden Wirkung des
denkenden Bewußtseins, das in das unbewußt schöpferische Leben einbricht, hat E. T. A. Hoffmann immer wieder beschäftigt. Es kehrt insbesondere in der ›Prinzessin
Brambilla‹ wieder, wo in entsprechender Form innerhalb
der in unmittelbarer Gegenwart, dort nämlich dem Rom
seiner Zeit, spielenden Rahmenerzählung ein in poten-
zierter Form mythologisches Märchen, nämlich das von
der Urdarquelle, eingeführt ist. ›Der Gedanke zerstört
die Anschauung‹, das ist auch hier das bewegende Problem.«

Otto Friedrich Bollnow: Unruhe und Geborgenheit im Weltbild neuerer Dichter. Stuttgart: Kohlhammer, ³1968. S. 211–214. – © 1954 W. Kohlhammer GmbH, Stuttgart.

ROBERT MÜHLHER (1910–2003) bezeichnet Hoffmanns
Mythe von Phosphorus als Musterbeispiel für romantische Mythenbildung:

»Werners und Hoffmanns Phosphorus ist letztes Endes
nichts anderes als der in ein mythologisches Symbol der
romantischen Physik verwandelte Luzifer oder, umgekehrt ausgedrückt, der in den Luzifermythos zurückge-
führte romantische Begriff des Lichtes. [...]
Der Bezug auf Luzifer ist in Z. Werners Phosphorusge-
stalt noch deutlich erkennbar, wenn dieser aus Hochmut
trachtet, wie der Herr selbst zu werden. Ein Motiv, das
Hoffmann auf die Empörung des Salamanders gegen das
Gebot des Geisterfürsten überträgt. Der folgende Sturz

Luzifers wird nun naturphilosophisch als Eingehen des Lichtes in die Elemente weiterentwickelt. So bei Werner, der dem Mythos vom in den Elementen gefangenen Lichte seine zweite Hälfte und Abrundung gibt, indem er nach dem Fall auch die Erlösung des Lichtes von den Elementen darstellt. [...]

G. H. Schubert vertieft nun den mythischen Rahmen und steigert ihn bis zur Naturphilosophie. Er erklärt den Namen des antiken Phosphorus als ›eine Fackel des Todes und der Liebe‹. Damit ist schon der einfache dualistische Mythos vom gefallenen und wieder in die Himmel aufgefahrenen Phosphorus einerseits mit der Todeserotik in Zusammenhang gebracht, andererseits aber in einen dialektischen Mythos umgewandelt. Die ursprüngliche Luzifermythe ist noch in den Worten ›jener gefallene, in der Materie befangene Phosphorus‹ zu erkennen. Ausgehend von dem Phosphoreszieren der Verwesung toter Körper, wird ihm Phosphor so zu einem Todessymbol. Gleichzeitig aber verschmilzt Schubert damit das innere Licht der magnetisch Schlafenden, das auch bei diesen zu beobachten ist. Sie sind ja tatsächlich für die Außenwelt tot. So erscheint Phosphorus bei Schubert als eine natürliche Begleiterscheinung des Absterbens für die Realität, symbolisiert aber gleichzeitig das Erwachen eines höheren Lebens; ja Phosphorus ist schon bei Schubert geradezu das Symbol des Lichtes, das den Menschen eine höhere Welt schauen läßt, wenn er erst dieser abgestorben ist. Die *Symbolik des Traumes* bestimmt Phosphorus noch näher und erklärt ihn geradezu als ›die Fähigkeit zu lieben‹. Die *Symbolik* zeigt wieder näheren Anschluß an den Handlungstypus der Luzifermythe. So entwickelt sich die Gestalt des Phosphorus von der antiken Astrologie über die christologische Vertiefung im Luzifermythos hin zum Symbol des Liebestodes und der Todeserotik sowie zum Agens im dialektischen Prozeß des romantischen Mythos. In

Hoffmanns Darstellung wiederholen sich bewußt alle diese Züge noch einmal.«

> Robert Mühlher: Liebestod und Spiegelmythe in
> E. T. A. Hoffmanns Märchen *Der Goldne Topf*. In:
> R. M.: Dichtung der Krise. Mythos und Psycholo-
> gie in der Dichtung des 19. und 20. Jahrhunderts.
> Wien: Herold, 1951. S. 64–66.

GUSTAV EGLI beschreibt eingehend die Parallelen, die Hoffmanns Phosphorus-Figur zu den »Ansichten« G. H. Schuberts enthält:

»Auch zu dieser Gestalt des Naturmythos findet sich in den ›Ansichten‹ ein Vorbild. [...] Jedenfalls erscheint er in den ›Ansichten‹ als derjenige Stoff, in dem sich das Ewige verkörpert, und der jedesmal dann sichtbar in Erscheinung tritt, wenn eine sterbende Daseinsform in eine andere überzugehen beginnt. So heißt es von ihm in der 1. Auflage des Buches: ›Ja selbst jenes innere Licht und Hellsehen‹ [der Somnambulen] ›erinnert an den Phosphor und an den leuchtenden Zustand, welchen die Verwesung an den toten organischen Körpern hervorruft. Von den Phänomenen der Elektrizität, und wohl noch tiefer hinab, bis hinauf zu denen der Vereinigung der Geschlechter im Organischen‹ [die mit den kosmischen Momenten zusammenfallen], ›sehen wir überall das brennbare Wesen auf dem höchsten Gipfel des Daseins und der Wechselwirkung erscheinen, durch die höchste Tätigkeit des Lebens hervorgerufen werden‹. An einer andern Stelle nennt ihn Schubert die ›Fackel des Todes und der Liebe‹, und in der 3. Auflage der ›Ansichten‹ heißt es deutlich: ›Dieses brennbare Wesen scheint nämlich die Hülle (der astralische Leib) und das noch ungeborene Organ des neuen künftigen Daseins in sich zu fassen, oder mit ihm verwandt zu sein‹. Es wäre also der Phosphor in nächste Beziehung zur Lilie zu setzen, d. h. diese ein Symbol für jenes Immanent-Geistige, das als Sehnsucht in den Dingen wirkt und im kosmischen Moment von innen heraus zerstört [...].«

Gustav Egli: E. T. A. Hoffmann. Ewigkeit und Endlichkeit in seinem Werk. Zürich/Leipzig/Berlin: Füssli, 1927. S. 74 f. – © 1927 Orell Füssli Verlag AG, Zürich.

Auch HANS SCHUMACHER bezieht sich auf Schubert'sche Ideen, die Hoffmann in seiner Atlantis-Mythe verarbeitet hat. Er betrachtet die 8. Vigilie, d. h. den zweiten Teil der Atlantis-Mythe, als Fortsetzung des »kosmologischen Mythos« aus der 3. Vigilie:

»Phosphorus, dem im Geisterreich Atlantis die Elementargeister dienten, erzeugte mit der Lilie die grüne Schlange. Der Feuergeist Salamander (alias Lindhorst) wiederholt nun die Rolle Phosphorus' im Mythos und im Sündenfall der dritten Vigilie. Lindhorsts Schlafrock glänzt wie Phosphor, als Nachkomme der Feuerlilie schreitet er wie ein Feuerlilienbusch auf Anselmus zu. Er raubt die Schlange, um sie zu heiraten, aber mißachtet die Warnung Phosphorus', der an sein eigenes Geschick mit der Feuerlilie erinnert. Voll glühenden Verlangens umarmt er die grüne Schlange, Sinnbild der beseelten Materie, welche verbrennt und als geflügeltes Wesen durch die Lüfte fortrauscht. Schubert meint dazu: ›Es ist ein ewiges Naturgesetz ..., daß die vergängliche Form der Dinge untergeht, wenn ein neues, höheres Streben in ihnen erwacht, und daß nicht die Zeit, nicht die Außenwelt, sondern die Psyche selber ihre Hülle zerstört, wenn die Schwingen eines neuen, freyeren Daseyns sich in ihr entfalten ... gerade in der Gluth der seeligsten und am meisten erstrebten Augenblicke des Daseyns dieses sich selber auflöset und zerstört ... Und eben die Gluth jener zerstörenden Augenblicke, für die bisherige Form des Daseyns zu erhaben, erzeugt den Keim eines neuen höheren Lebens in der Asche der untergegangenen vorigen und das Vergängliche wird (berührt und verzehrt von dem Ewigen) aus diesem von neuem wieder verjüngt‹. Dieser Phönixmythos wird nun auf der Elementargeisterstufe, einer gegenüber dem ersten kosmologischen Mythos niedereren Stufe wiederholt. Der Salamander (Luzifer) wird von Phosphorus in die Erde verbannt, da er sein Feuer ausgerast hat. Sein (im Sinne Platos) erotisches Verlangen, seine Sehnsucht erlischt. Der Salamander (Archivar Lindhorst, ein neuer Klingsohr), Elementargeist, sinkt herab zu den Drachen, Metallen, Erdgeistern, das heißt zu den isolierten, egozentrischen Bürgern. Sein Feuergeist wird erst in der unglücklichen Stunde wieder entzündet, wenn das entartete Geschlecht der Menschen die Sprache der Natur nicht mehr versteht, wenn nur noch unendliches Sehnen von dem wundervollen Reich Kunde geben wird, das der Mensch einst bewohnen durfte.«

Hans Schumacher: Narziß an der Quelle. Das romantische Kunstmärchen. Wiesbaden: Athenaion, 1977. S. 119 f.

GÜNTER WÖLLNER (geb. 1934) beschreibt vor allem den utopischen Charakter der Atlantis-Vision, des 3. Teils der Mythe in der 12. Vigilie:

»Nichts könnte den illusorischen Charakter des Mythos besser illustrieren; die Dialektik von Illusion und ›höherer Wirklichkeit‹, die wir als wesentliches Merkmal des Mythos herausgestellt haben, wird hier besonders sinnfällig. Anselmus hat die Handlungsebene verlassen, und um seinen seligen Aufenthalt in Atlantis beschreiben zu können, muß sich der Chronist selber in die Handlungsebene hineinbegeben, muß das Dachstübchen, wo die Armseligkeiten des bedürftigen Lebens seinen Sinn befangen, mit dem Arbeitsplatz seines Märchenhelden vertauschen; diesem – freilich vorübergehenden – Standortswechsel entspricht auf anderer Ebene die Entrückung des Anselmus. *Wie* diese vonstatten ging, läßt sich erst a posteriori erschließen: er ist aus dem azurblauen Zimmer ins ›Unübersehbare‹, ins Unendliche hinausgetreten, er ist Teil jener illusorischen Wirklichkeit geworden, die an den Wänden des azurblauen Zimmers dargestellt ist. Die Darstellung der höheren Wirklichkeit (illusorisch erscheint sie nur dem nüchternen, diesseitsgebundenen Verstand) wird für diese höhere Wirklichkeit selbst genommen. Anselmus tritt als handelnde Person in den *Mythos* ein, den er in den Manuskripten, die er zu kopieren hat, beschrieben findet; im genau gleichen Sinne begibt sich der Chronist in die Handlung des *Märchens*, dessen Schöpfer er ist.

Die beiden Vorgänge sind analog, aber keineswegs identisch. Auf der Märchenebene (Anselmus) hat der Künstler bereits Geschaffenes zu kopieren; auf der realen Ebene (Chronist) erscheint er als ›voraussetzungslos‹ Schaffender, der auf seinem Dachstübchen in anstrengenden Nachtwachen (Vigilien!) die Lebensgeschichte, den Werdegang eines Künstlers verfaßt. Diese Biographie ist seine ureigene Leistung; es mutet etwas eigenartig an, daß Hoffmann die Laufbahn eines Dichters mit der mühseligen, man könnte sagen: philiströsen Kopierarbeit beginnen läßt. Aber dieser Widerspruch löst sich bei näherer Betrachtung: der Mythos, den Anselmus zu kopieren hat, ist eine Gegebenheit, er hat überzeitlichen Charakter; er ist im Archiv der menschlichen Erinnerung wie ein kostbarer Schatz verwahrt (der ›bürgerliche‹ Beruf Lindhorsts enthüllt somit seinen tieferen Sinn) und wartet darauf, ans Tageslicht gehoben zu werden.«

Günter Wöllner: E. T. A. Hoffmann und Franz Kafka. Von der »fortgeführten Metapher« zum »sinnlichen Paradox«. Bern/Stuttgart: Haupt, 1971, S. 80–85. – © Mit Genehmigung von Günter Wöllner, Thun.

3. *Der goldne Topf* – ein Beitrag
zur »neuen Mythologie«?

In einprägsamen Symbolen und Allegorien entwickelt Hoffmann auf der mythologischen Ebene des *Goldnen Topfs* die erstaunlich moderne Idee, dass die Natur ein komplizierter vernetzter Organismus ist. – Der Endzweck der Natur steuert nach dieser Lesart auf eine umfassende Harmonie aller Wesen zu.

So gesehen liest sich das Märchen tatsächlich wie ein Novalis-Beitrag zur »Neuen Mythologie«. Deren Umrisse hat wahrscheinlich Friedrich Wilhelm Schelling um 1796/97 im *Ältesten Systemprogramm des deutschen Idealismus* formuliert.

Es opponiert Vorstellungen, die den Staat als Maschine, als mechanisches Räderwerk begreifen, und stellt ihnen den Organismusgedanken entgegen. Denn im Unterschied zur Maschine ist im Organismus jedes einzelne Glied ein Symbol für das Ganze, wie z.B. ein aufgepfropftes Edelreis von einem Baum in den Gesamtorganismus integriert wird. In diesem Sinne entwickelte die Neue Mythologie ein politisches Programm, das der mechanistischen Konzeption der Aufklärer widersprach und anstelle der »Gesellschaft« eine organisch gewachsene »Gemeinschaft« forderte. Dies führte zur Mythenrenaissance, d. h. zur Suche nach Ersatznormen, die, auf gewaltfrei erzielte Übereinkünfte gegründet, zur Wiederherstellung von kollektiver Identität taugen. Mythologie meint also jene Gemeinschaftlichkeit des »Erkennens, Fühlens und Handelns«, die für eine Gemeinschaft über ein symbolisches Deutungs- und Wertesystem verbürgt wird. Deshalb fordert das Systemprogramm, dass die Poesie am Ende wieder wird, was sie am Anfang war, nämlich »Lehrerin der Menschheit«. Denn in der Frühzeit war Dichtung zugleich Mythos und Gottesdienst, und der Mythos war zugleich Dichtung, die als »sinnliche Religion« zum »großen

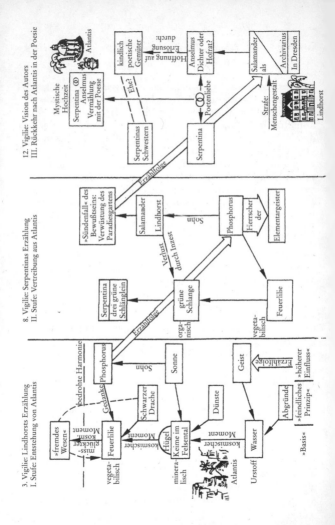

3. Vigilie: Lindhorsts Erzählung
I. Stufe: Entstehung von Atlantis

8. Vigilie: Serpentinas Erzählung
II. Stufe: Vertreibung aus Atlantis

12. Vigilie: Vision des Autors
III. Rückkehr nach Atlantis in der Poesie

Erläuterungen zur nebenstehenden Skizze:

Erzählfolge, *linke Spalte (I):*
Aus dem dialektischen Zusammenwirken von »höherem Einfluss«
und »Basis«, das jedoch immer wieder von einem »feindlichen
Prinzip« gestört wird, entsteht aus dem Urstoff, über die minerali-
sche und vegetabilische (= pflanzliche) Stufe, ein nur mühsam ge-
bändigtes »fremdes Wesen«. Denn der Lichtträger Phosphorus hat
den zerstörenden »Funken des Gedankens« in die Feuerlilie ge-
schleudert.

Mittlere Spalte (II): Aus der Feuerlilie geht ein organisches Wesen
hervor, die »grüne Schlange«. Mit ihr begeht der Salamander (=
Lindhorst), der liebestolle Sohn des Phosphorus, Inzest und zeugt
drei grüne Schlänglein: Serpentina und ihre beiden Schwestern.
Beim Liebesakt aber findet die grüne Schlange den Tod. Rasend
vor Schmerz verwüstet der Salamander den Paradiesgarten und
wird zur Strafe aus Atlantis verbannt.

Rechte Spalte (III): Die Strafe für den »Sündenfall des Bewusstseins« ist eine kümmerliche Doppelexistenz unter Dresdner Spieß-
bürgern als Elementargeist und Beamter (= »Archivarius Lindhorst«). Erlösung in Atlantis, d.h. die Rückgewinnung der unbewussten Harmonie mit der Natur, winkt ihm erst, wenn alle drei
Schlänglein mit »poetischen Gemütern« vermählt sind. Des Anselmus Dichterliebe und seine mystische Hochzeit mit Serpentina lei-
ten den von Lindhorst erhofften und geförderten Erlösungsvor-
gang ein.

Struktur der Atlantis-Mythe im *Goldnen Topf*
(aus: Paul-Wolfgang Wührl, *Das deutsche Kunstmärchen*,
Baltmannsweiler 2003)

Haufen« sprach. (Vgl. dazu Manfred Frank, *Der kommende Gott. Vorlesungen über die Neue Mythologie*, Tl. 1, Frankfurt a. M. 1982, S. 153–187.)

Wenn also die Atlantis-Mythe als Beitrag zur Neuen Mythologie gedacht war, dann müsste sie ein symbolisches Zeichensystem entwickeln, das akzeptable Grundvorstellungen des Erkennens, Fühlens und Handels überzeugend darstellt. In der Tat führt Hoffmann, wie erwähnt, die Natur als einen vielfältig vernetzten Organismus vor, und die Atlantis-Mythe mündet, wie Goethes *Märchen* bzw. »Klingsohrs Märchen« von Novalis in ein utopisches Friedensreich ein. Aber im Gegensatz zu den Solidargemeinschaften bei Goethe und Novalis repräsentiert Hoffmanns vernetzte Atlantis-Natur in keiner Weise mehr »Gemeinschaft«. Der Held bleibt auch in Atlantis der unangepasste Individualist, dessen Poesie keine erkennbare gesellschaftliche Funktion erfüllt. Während bei Novalis »Fabel« zur Freude aller den »goldnen unzerreißlichen Faden« der Poesie spinnt, produziert Anselmus seine Poesie in der sorgenfreien Isolation eines atlantischen Rittergutes, und es ist keine Rede davon, dass sie »als Lehrerin der Menschheit« wirkt.

Kann also Hoffmann ernsthaft an die Neue Mythologie geglaubt und daran gedacht haben, die bürgerliche Gesellschaft mit einem System aus Zeichen und Bildern zu versorgen, die einen überpersönlichen Sinnzusammenhang stiften? Betrachtet man die drei zwielichtigen Gewährsleute näher, die in drei Abschnitten die Atlantis-Mythe überliefern (Lindhorst als Stammtischlatein; Serpentina als Halluzination; und der als Märchenfigur nachrückende Autor unter dem Einfluss von Johannes-Kreisler-Punsch), dann erwachen erhebliche Zweifel an der Ernsthaftigkeit dieser Mythenstiftung.

IV. Zur Poetologie des »Wirklichkeitsmärchens«

1. Hoffmanns Märchentheorie

»Sonst war es üblich, ja Regel, alles was nur Märchen hieß, ins Morgenland zu verlegen und dabei die Märchen der Dscheherezade zum Muster zu nehmen. Die Sitten des Morgenlandes nur eben berührend, schuf man eine Welt, die haltlos in den Lüften schwebte und vor unseren Augen verschwamm. Deshalb gerieten aber jene Märchen meist frostig, gleichgültig und vermochten nicht den innern Geist zu entzünden und die Fantasie aufzuregen« (*Die Serapions-Brüder*, S. 599 f.).

Dieser Seitenhieb, geführt von Hoffmanns Rollen-Ich Theodor im »Serapionsgespräch« über *Die Brautwahl* (1820), gilt der verschwommenen Fantastik und der pseudo-orientalischen Kulisse der *contes de fées* und den »Feenmärchen« in Wielands Manier.

Hoffmann störten die hemmungslosen Faseleien der »Feenmärchen«, in denen schließlich jeder Unsinn erlaubt und die symbolische »innere Wahrheit« des Wunderbaren verlorengegangen war. Er suchte nach konkreteren, überzeugenderen Formen der Märchendichtung. Dabei entdeckte er in *1001 Nacht* ein Erzählprinzip, das ihn zu vielfältigen poetologischen Überlegungen anregte. In Briefen, in den Rahmengesprächen der *Serapions-Brüder*, im Vorwort zur *Prinzessin Brambilla* und in Leseranreden in den Märchen selbst hat er sie immer präziser zu formulieren und zu ergänzen versucht. Zusammengenommen ergeben sie eine einleuchtende »Poetologie des Wirklichkeitsmärchens« von beträchtlicher literarischer Vorbildwirkung.

Statt seine Figuren orientalisch zu kostümieren und in eine vage angedeutete morgenländische Szenerie zu versetzen, ahmte Hoffmann das Erzählprinzip nach, das nach seiner Überzeugung den Märchen aus den Tausendundein

Nächten auf unvergleichliche Weise »Leben und Wahrheit« gibt:
»All die Schuster, Schneider, Lastträger, Derwische, Kauf-
leute etc., wie sie in jenen Märchen vorkommen, sind Gestalten, wie man sie täglich auf den Straßen sah und da
nun das eigentliche Leben nicht von Zeit und Sitte ab-
hängt, sondern in der tieferen Bedingung ewig dasselbe
bleibt und bleiben muß, so kommt es, daß wir glauben,
jene Leute, denen sich mitten in der Alltäglichkeit der
wunderbarste Zauber erschloß, wandelten noch unter
uns« (*Die Serapions-Brüder*, S. 600).
Weil sich in *1001 Nacht* gewöhnlichen Durchschnittsmen-
schen mitten im Alltag, auf den Straßen von Bagdad oder
Basra der wunderbarste Zauber erschließt, wirft auch
Hoffmann Mitgliedern seiner Gesellschaftsschicht »tolle
Zauberkappen« über. So kommt es, dass »ernsthafte Leute«, »Obergerichtsräte, Archivarien und Studenten [...]
wie fabelhafte Spukgeister am hellen lichten Tage durch
die lebhaftesten Straßen der bekanntesten Städte schlei-
chen und man irre werden kann an jedem ehrlichen Nach-
bar« (*Die Serapions-Brüder*, S. 254). Der Leser soll also im
Märchenpersonal den Nachbarn wiedererkennen, und das
an Orten, die ihm aus der Realität vertraut sind. Nach
Hoffmanns Vorstellungen muss das »durchaus Fantastische« (ebd., S. 254) »das ganz Fabulose [...] in das gewöhnliche Leben keck eintreten« (B I,445). Ein Märchen
müsse, obgleich »in regelloser spielender Willkür von allen Seiten ins Blaue hinausblitzend, doch einen festen
Kern in sich tragen« (*Die Serapions-Brüder*, S. 254). Darüber hinaus verlangt Hoffmann, dass es eine »aus irgend-
einer philosophischen Ansicht des Lebens geschöpfte
Hauptidee« (*Späte Werke*, S. 211) enthalte.
Die Illusion erzählter Wirklichkeit lockt den Leser auf eine
Zauberleiter und in *jenes herrliche Reich* (29,21), ein
feenhaftes Reich *voll herrlicher Wunder* (29,8 f.), *das uns der
Geist so oft, wenigstens im Traume aufschließt* (29,16 f.):

»Ich meine, daß die Basis der Himmelsleiter, auf der man hinaufsteigen will in höhere Regionen, befestigt sein müsse im Leben, so daß jeder nachzusteigen vermag. Befindet er sich dann immer höher und höher hinaufgeklettert, in einem fantastischen Zauberreich, so wird er glauben, dies Reich gehöre auch noch in sein Leben hinein, und sei eigentlich der wunderbar herrlichste Teil desselben. Es ist ihm der schöne prächtige Blumengarten vor dem Tore, in dem er zu seinem hohen Ergötzen lustwandeln kann, hat er sich nur entschlossen, die düsteren Mauern der Stadt zu verlassen« (*Die Serapions-Brüder*, S. 599).

Hoffmann kannte durchaus das Gewagte und Unkonventionelle seiner Theorie und seines Verfahrens, das von »einem teutschen Autor in diesem Maaß noch nicht benutzt worden« (B I,445). Hoffmann kritisierte also nicht nur die Faseleien der »Feenmärchen«, sondern auch die symbolischen und allegorischen Arrangements, die Goethe und Novalis mit dem Wunderbaren anstellten. In seiner um 1820 endgültig ausformulierten Märchenpoetologie übertrug er das Vorbild von *1001 Nacht* auf seine zeitgenössische Gegenwart und beschrieb die zumindest in der deutschen Erzähltradition ungewöhnliche Form eines Märchens, das Raum und Zeit festlegt und die Erfahrungswirklichkeit mit einer fantastischen Gegenwelt vermischt. Seine Poetologie des »Wirklichkeitsmärchens« (Richard Benz) stieß in literarisches Neuland vor und entwickelte eine Vorbildwirkung, die bis zu Expressionismus und Surrealismus reichte.

Allerdings hatten andere Romantiker schon vor Hoffmann mit den typischen Gestaltungselementen des »Wirklichkeitsmärchens«, d. h. mit der Festlegung in Raum und Zeit und mit der psychologischen Differenzierung des Märchenhelden experimentiert: Baron Friedrich de la Motte-Fouqué (1777–1843) in *Eine Geschichte vom Galgenmännlein* (1810); Carl Wilhelm Salice-Contessa (1777–1825) in *Magister Rößlein* (1810), Ludwig Achim von Arnim (1781–1831) in *Isabella von Ägypten, Kaiser Karl des*

Fünften erste Jugendliebe (1812) und Adelbert von Cha-
misso (1781–1838) in Peter Schlemihls wundersame Geschichte (1814). Vgl. dazu S. 140 und Wührl, Im magischen
Spiegel II, Vorwort, S. 9–23.

2. Erzählen »in Callot's Manier« als »phantastischer Realismus«

Der goldne Topf erschien als dritter Band einer Reihe mit
Erzählungen, der Hoffmann den seltsamen Sammeltitel
Fantasiestücke in Callot's Manier (4 Bde., 1814–15) gegeben hatte. Der Titel enthält einen Hinweis auf den lothrin-
gischen Kupferstecher Jacques Callot (1592–1635); die
kurze poetologische Einführung »Jacques Callot« versucht, die kühne Erzählweise zu rechtfertigen und zugleich zu charakterisieren:
»Warum kann ich mich an deinen sonderbaren fantastischen Blättern nicht sattsehen, du kecker Meister! – Warum kommen mir deine Gestalten, oft nur durch ein paar
kühne Striche angedeutet, nicht aus dem Sinn? – Schaue
ich deine überreichen aus den heterogensten Elementen
geschaffenen Kompositionen lange an, so beleben sich die
tausend und tausend Figuren, und jede schreitet, oft aus
dem tiefsten Hintergrunde, wo es erst schwer hielt sie nur
zu entdecken, kräftig und in den natürlichen Farben glän-
zend hervor« (Fantasie- und Nachtstücke, S. 12).
Callots Graphiken sind »phantastische Karikaturen«
(Korff). In ihnen verbinden sich genau gesehene Wirklich-
keitselemente zu grotesken Mischwesen aus Mensch und
Tier, geboren aus dem Geiste der Ironie:
»Die Ironie, welche, indem sie das Menschliche mit dem
Tier in Konflikt setzt, den Menschen mit seinem ärmli-
chen Tun und Treiben verhöhnt, wohnt nur in einem tiefen Geiste, und so enthüllen Callots aus Tier und Mensch
geschaffene groteske Gestalten dem ernsten tiefer ein-

dringenden Beschauer alle die geheimen Andeutungen, die unter dem Schleier der Skurrilität verborgen liegen« (*Fantasie- und Nachtstücke*, S. 12 f.).

Das Darstellungsprinzip, das Hoffmann an Callot faszinierte und das er auf höchst originelle Weise in eine Erzähltechnik in »Callot's Manier« umsetzte, liegt darin, dass durch den »Zauber seiner überregen Fantasie« die alltägliche Wirklichkeit »in dem Schimmer einer gewissen romantischen Originalität [erscheint], so daß das dem Fantastischen hingegebene Gemüt auf eine wunderbare Weise davon angesprochen wird« (ebd., S. 12). Hoffmann macht daraus das Verfahren eines Dichters, dem die »Gestalten des gewöhnlichen Lebens in seinem inneren romantischen Geisterreiche erscheinen, und der sie nun in dem Schimmer, von dem sie dort umflossen, wie in einem fremden wunderlichen Putze darstellt« (ebd., S. 13).

Korff bezeichnet das als »phantastischen Realismus« und erinnert an den Aphorismus des Novalis: »Romantisieren heißt, dem Gewöhnlichen ein geheimnisvolles Ansehen, dem Bekannten die Würde des Unbekannten, dem Endlichen einen unendlichen Schein geben« (Korff, S. 592 f.).

Hoffmann, der sich damit als »romantischer Dichter« legitimiert, idealisiert aber das Gewöhnliche nicht, vielmehr formt er daraus, wie Callot, »eine Form der romantischen Karikatur, bei der die Realität in gesteigertem Maße gleichsam erhalten bleibt« (ebd., S. 593). Das Ergebnis ist die »Romantik der Fratze«, die »Romantik der Ironie« oder die »Romantik der Skurrilität« (ebd., S. 593), d. h. eine Technik der Übersteigerung, die hinter der Fratze etwas Edles aufdeckt, z. B. in einem verschrobenen Sonderling einen Geisterfürsten oder in einem Pechvogel und Schwärmer einen auserwählten höheren Menschen, der die Tochter des Geisterfürsten erringt. Nach Korff besteht »das callotsche Prinzip eben darin, die Wirklichkeit zunächst so grotesk wie möglich zu machen, um mit der Wahrheit desto mehr zu überraschen« (ebd., S. 594).

V. Dokumente zur Entstehungsgeschichte

1. Die Produktionsbedingungen

Nach dem Zusammenbruch Preußens in der Schlacht von Jena und Auerstedt (1806) und dem für Preußen katastrophalen Frieden von Tilsit (1807) verlor der preußische Regierungsrat Hoffmann sein Amt in Warschau. Denn Hoffmann weigerte sich, einen Treueid auf Napoleon zu leisten. Das führte den Juristen, der schon immer insgeheim eine Musikerlaufbahn erträumt hatte, am 1. September 1808 als Kapellmeister ans Bamberger Theater, das heute seinen Namen trägt. Jahrelang schlug er sich kümmerlich als »Direktionsgehilfe«, Hauskomponist, Bühnenarchitekt, Kulissenmaler und Musikpädagoge durch. Als etwas suspekte Persönlichkeit bewohnte er den Oberstock eines schmalbrüstigen Häuschens am Zinkenwörth 50 (heute Schillerplatz 26), verkehrte aber mit dem Bamberger Patriziat, vor allem mit der Familie der Konsulin Franziska Mark, geb. Marcus (um 1770–1849). Ein Skandal bei einem Ausflug nach Pommersfelden (September 1812), bei dem er Julias Verlobten, den Hamburger Bankier Johann Gerhard Graepel (1780–1821), hemmungslos beschimpfte (beide waren betrunken), brachte ihm Hausverbot bei der Konsulin ein. Ein Vierteljahr später heirateten Julia und Graepel und zogen nach Hamburg.

Am 21. April 1813 beendete auch Hoffmann seine »Lehr- und Marterjahre« in Bamberg und bestieg die Postkutsche nach Dresden, um sich der Truppe des Leipziger Operndirektors Joseph Seconda (gest. um 1820) als Kapellmeister anzuschließen. Die Reise aber führte mitten in den Krieg. Zunächst geriet Hoffmann in die Truppenbewegungen von 1813. Nur mühsam wand er sich zwischen »streifenden Baschkiren, Kosaken und pr[eu]ß[ischen] Husaren« durch; er passierte »russische Dragoner und Ar-

tillerie« (B I, Nr. 422). Unter diesen Umständen wagte
Seconda nicht, seinen Kapellmeister in Dresden abzu-
holen. Hoffmann hielt der Rückzug der Russen, die vor
den Franzosen über die Elbe auswichen, in Dresden fest.
In höchster Geldverlegenheit bezog er »auf dem Altmarkt
No 33 bey Madame Vetter Vier Treppen hoch ein höchst
romantisches Stübchen ganz in der Nähe des Uranus«.
Der hölzerne Mittelteil der Elbbrücke ging in Flammen
auf. Pontons trieben brennend den Fluß herab. Kaiser
Napoleon rückte »mit zahlreichem Gefolge ein«, während
sich die Russen in der Neustadt festsetzten und den
Franzosen heftige Gefechte lieferten. Dabei wäre Hoff-
mann am 9. Mai 1813 am Brühlschen Palais fast »den
Tod der Neugierde« gestorben; er wurde »von einer
Kugel, die von der Mauer abschlug, am Schienbein, jedoch so matt getroffen, daß eigentlich nur« seine »neue
StiefelKlappe verwundet wurde«, er selbst »aber nur einen
blauen Fleck davontrug« (an Kunz, 10. Mai 1813; B I,
Nr. 425).
Als Hoffmann die Weiterreise nach Leipzig wagte, kippte
bei Meißen der Postwagen um (20. Mai 1813). Eine mitrei-
sende junge Gräfin wurde getötet; Mischa Hoffmann trug
eine klaffende Kopfverletzung davon. – Im Juni brachte
der Krieg auch Leipzig den Belagerungszustand, und dann
begann ein hektisches Hin und Her zwischen Leipzig und
Dresden, das den Künstlern der Truppe Seconda wenigstens die Existenz sichern sollte. Mit seiner verwundeten
Frau machte Hoffmann »auf einem elenden Leiterwagen
die abscheuliche Reise nach Dresden in der ungemüthli-
chen Stimmung« (T 214). Dann bezog er vor dem Schwarzen Tor in Dresden »ein kleines Logis in der Allee zum
Linkschen Bade« (T 214), inmitten der Kulissen, die er
später für den *Goldnen Topf* verwendete, und fühlte sich
ein Weilchen als »homme de qualité qui se retiroit du
monde« (B I, 401 f.). Ende August notierte er ins Tagebuch: »Abends vor dem Seethor ganz naher Kanonendon-

ner« (T 219). Und am 26./27. August 1813 erlebte er die
Schlacht von Dresden als Augenzeuge mit:

»Hier habe ich nun alles erlebt, was man in der nächsten
Nähe des Krieges erleben kan – ich habe Scharmützel –
eine bedeutende Schlacht (am 26. Aug:) deutlich angese-
hen, habe das Schlachtfeld besucht, kurz, meine Erfahrungen sind in dieser Art nur zu sehr bereichert worden –
HungersNoth und eine Art Pest (die zum Theil noch
herrscht und nur noch vorige Woche 280 Personen bür-
gerl[ichen] St[andes] weggerafft hat) mußte ich auch aus-
stehen, aber unerachtet aller in der That entsetzlichen Ereignisse, von denen Sie wahrscheinlich schon durch die öffentlichen Blätter unterrichtet seyn werden, habe ich nie
den Muth verlohren, ja als die Kanonen rings um Dresden
donnerten, so daß die Erde bebte und die Fenster zitter-
ten, ist mir ein besonderes vorahndendes Gefühl gekommen, daß der so lange ersehnte Augenblick der wieder er-
langten Freyheit nicht mehr fern seyn könne! – Schon am
11ᵗ Oktober hatte ich die Freude mit eignen Augen ziem-
lich nahe (ich konte es nicht lassen hinaus zu laufen und
mich auf einen Hügel zu stellen) zu sehen, wie die
Franz[osen] aus ihrem verschanzten Lager dicht vor den
äußern Schanzen von D[resden] herausgetrieben wurden,
ihre Baraken anzündeten, und mit einer Schnelligkeit davon liefen, die ich der Nation immer zutraute. [...] nachdem sie die äußern Schanzen verlassen müssen, sperrten
sie die Schläge und Thore und verschanzten die Haupt-
straßen der Vorstädte hauptsächlich mittelst mit Sand ge-
füllter Kisten und Tonnen. – Um so drückender war uns
Einwohnern das alles, weil wir trotz aller Vorsicht der
fr[anzösischen] Behörden von den glorreichen herrlichen
Siegen bey Leipzig und Erfurt sehr gut unterrichtet waren. Schon am 10ᵗ erfuhren wir den Abschluß der Capitu-
lat[ion] und mein Gefühl war wirklich unbeschreiblich,
als ich die stolzen übermüthigen Franzosen schmachvoll

ohne Waffen abziehen sah! – Wie die Spizbuben das herrliche Dresden auf wirklich sinnreiche Weise verwüstet und ruinirt haben, davon haben Sie keine Idee – beynahe alle Lustörter (der große Garten, der Mosczynskische Garten, das Feldschlößchen u. s. w.) sind bis auf den Grund verwüstet und zwar meistens ohne Noth – die herrlichen Alleen meistens umgehauen u. s. w. – Jezt, theurer Freund, athmet man wieder frey, und ich denke, die bessere Zeit liegt uns ganz nahe! –«

> Brief an Julius Eduard Hitzig vom 1. Dezember 1813. In: E. T. A Hoffmanns Briefwechsel. Ges. und erl. von Hans von Müller und Friedrich Schnapp. Hrsg. von F. S. Bd. 1. München: Winkler, 1967. S. 423 f.
> [Briefausgabe zit. als: B.]

Nur für 14 Tage schloss Seconda das Theater; sonst wurde »unausgesezt bey vollem Hause gespielt« (B I, Nr. 454). Kaum war Dresden befreit (11. November 1813) und der Krieg zu Ende, zog die Truppe Seconda wieder nach Leipzig (9. Dezember 1813). Dort erkrankte Hoffmann, der nur mit Mühe eine epidemische Diarrhoe, eine Folge der Hungersnot, überstanden hatte, bei den unsinnig langen Proben im eiskalten Theater an Rheumatismus, der ihn ans Bett fesselte. Nur knapp kam er an einer Lungenentzündung vorbei. Zur gleichen Zeit überwarf er sich mit Seconda, der ihm am 26. Februar die Stelle aufkündigte (vgl. B I, Nr. 484 und 486).
Die »nahezu schwerelose Anmut« (Hans-Georg Werner) des Märchens vom *Goldnen Topf* gaukelt ein Poetenidyll vor. Erst die Briefe und Tagebuchnotizen vermitteln ein Bild von den tatsächlichen Produktionsbedingungen, unter denen dieses ungewöhnliche »Märchen aus der neuen Zeit« entstand.

2. Bamberger Spuren im *Goldnen Topf*

Hoffmanns Brief vom 19. August 1813, den er aus Dresden an seinen Bamberger Verleger Carl Friedrich Kunz schrieb (vgl. S. 122), skizziert die Idee zum *Goldnen Topf*. Diesen Brief ließ Kunz 1835 im *Phönix* drucken, mit einem Zusatz, der nicht nur »frecher Erfindungsgabe« entsprungen sein muss (vgl. B I, Nr. 446, Fußnote 11): »[...] auch werden Sie bei Lesung des Ganzen wahrnehmen, daß eine frühere in Bamberg gefaßte Idee, die durch ihre sehr richtigen Bemerkungen und Einwürfe nur nicht zur gänzlichen Ausführung kam, die Grundlage des Mährchens bildet.« Kunz führt die angeblich in Bamberg gefasste Idee auf eine Anregung aus der Humoreske *Menschliches Elend* von James Beresford zurück (vgl. Anm. zu 7,15), die Hoffmann begeisterte. Nach Kunz plante er eine Novelle, in der ein Pechvogel dazu verdammt ist, »wo er gehe und stehe, Unglück zu erleben und um sich zu verbreiten« (HKA I, S. XXIII, Maassen). Das lebende Modell für eine solche Figur habe ein »Bamberger Original« geliefert. Folgt man Kunz weiter, dann ist die Novelle wegen seines Einwands, dass »der tiefer schauende Leser denn doch eine rein poetische Auffassung eines solchen Charakters verlangen und eine befriedigende Pointe am Schlusse des Ganzen schmerzlich vermissen würde« (ebd.), ungeschrieben geblieben.

Inwieweit hier Dichtung, Wahrheit und Augenzeugen-Eitelkeit ineinandergeflossen sind, ist nicht mehr feststellbar. Fest steht jedoch, dass die Figur des Anselmus in Hoffmanns Privatmythologie eine zentrale Rolle spielt und auf Bamberg verweist.

Schon die Wahl des Namens Anselmus ist kein Zufall. Anselmus ist der katholische Kalenderheilige des 18. März. Der 18. März war zugleich der Geburtstag seiner Gesangschülerin Julia Marc (1796–1864), seines »ästhetischen Idols« (Joachim Roßteutscher). Anselmus, dieser Ich-

Aspekt der ambivalenten Persönlichkeit seines Erfinders (mit dem er z. B. die Zappeligkeit und die Leidenschaft für die Kalligraphie teilt), steht also in einem verschlüsselten Rapport zu Hoffmanns unsterblicher Geliebter, die in allen möglichen Verkleidungen durch sein Werk geistert.

1811 verstrickte sich der verheiratete Kapellmeister in die hoffnungslose Leidenschaft zu seiner zwanzig Jahre jüngeren Gesangschülerin. Julia war damals fünfzehn Jahre alt; sie hatte dunkelblaue Augen (vgl. Serpentina/Veronika; 10,19 und 16,35 f.) und ein schmales, von schwarzen Locken umrahmtes Gesicht. Durch Hoffmanns Tagebuch, das die Schwankungen seiner Leidenschaft ungeschminkt spiegelt, geistert sie als Hieroglyphe eines Schmetterlings oder unter dem Kürzel »Ktch« (eine Anspielung auf Kleists *Käthchen von Heilbronn*, dessen Bamberger Erstaufführung Hoffmann mit Franz von Holbein inszenierte). Mal sind die Eintragungen in Italienisch, mal in griechischen Buchstaben:

8. Januar 1812: »… gefunden, daß es möglich ist von Kth zu abstrahiren – gesprochen – mit *ihr* und doch nicht – exotische Stimmung – Witzjagd in der ›Rose‹ – *ohe – ohe –*«

> E. T. A. Hoffmann: Tagebücher. Nach der Ausgabe Hans von Müllers mit Erl. hrsg. von Friedrich Schnapp. München: Winkler, 1971. S. 132.
> [Zit. als: T.]

19. Januar 1812: »… bey Kunze – Champagner ♇
Es bleibt noch von der gestrigen höchst exotischen Stimmung viel zu bemerken – Ktch – Ktch – Ktch | O Satanas – Satanas –
Ich glaube, daß irgend etwas hochpoetisches hinter diesem Daemon spukt, und in so fern wäre Ktch nur als Maske anzusehn – *demasquez vous donc, mon petit Monsieur! –*«

T 134 f.

26. Januar 1812: »… Abends Theater ›Joseph‹, nachher ge-
punscht bey Kunz
       Exaltirte Stimmung – Ahndungen seltsamer Ereig-
       nisse die dem Leben eine Richtung geben oder es –
       – – – – enden! Incrustirter Gedanke«

T 136.

31. Januar 1812: »V. M. bey Kunz – einen Augenblick bey
der Mark | bey Rothenhan – N. M. zu Hause – ›Ro-
se‹ | Ktch im Theater – die abscheuligste widerwärtigste
Stimmung seit langer Zeit – ☿ um sie zu verjagen | Eh-
standsSzenen im Theater – alles vergebens – Aergerlich –
galligt zum

»Schon zum zweitenmahl das verhängnißvolle Zeichen!!!!«

T 137.

8. August 1812: »V. M. Mark – Groepel ist angekommen –
N. M. zu Hause – Abends bey der Consulin bis 11 Uhr –
höchst exaltirte Stimmung – wild und störrig – löst sich
nachher etwas auf – Gedanken an die Entwicklung regt
mich sehr auf – *il sera decidé dans peu jour*«

T 169.

10. August 1812: »*Il colpo e fatto! – La Donna è diven[ta]ta
la sposa di questo maledetto asino di mercante | e mi pare
che tutta la mia vita musicale e poetica è smorzata – bisogna
di prender una risoluzione degna d'un uomo come io credo
d'esser – quest'era un giorno diabolico –*« [»Der Schuss ist
gefallen – Das Weib ist die Frau dieses verdammten Esels
von Kaufmann geworden – und mir scheint, dass mein gan-

zes musikalisches und poetisches Leben erloschen ist – hier
ist ein Entschluss zu fassen, der des Mannes würdig ist, der
ich zu sein glaube – das war ein teuflischer Tag –« Übers.:
P.-W. W.].

T 169.

6. September 1812: »Parthie nach Pommersfelden – sich
ganz erschrecklich besoffen und die infamsten Streiche ge-
macht | Rüks[i]ch[ts] Ktch gänzlich *dementie* gegeb[en]
schimpfend auf den *sposo* der so besoffen war daß er hin-
stürzte
[Am Rande:] (Es ist gewiß daß etwas verborgenes
Rüks[i]ch[ts] Ktch im HinterGrunde liegt)«

T 173.

C. F. Kunz fand »Käthchen« in seinen *Supplementen zu
Hoffmanns Leben* (1835) weniger aufregend:

»Fräulein Julia war ein recht hübsches, blühendes, liebens-
würdiges Mädchen, wie wir deren übrigens in Residenz-
wie in Provinzialstädten wohl öfters finden. Ja, der nüch-
terne anatomirende Verstand würde sogar gefunden haben, was unser Freund nicht fand, daß jene etwas über die
Gebühr gefüllten und gerötheten Wangen eher den Pinsel
der niederländischen, als der italiänischen Schule beschäftigen könnten, und daß das Embonpoint des Körpers
ebenfalls eher in den Gemälden eines Rubens als eines Ra-
phaels anzutreffen sei. [...]
Hoffmanns Phantasie, die eben so geneigt war, das Sinnliche wie das Geistige stets zu potenziren, schuf sich ein
Ideal aus dem vorhandenen Stoffe, das in seiner Phantasie
lebte, bis zu seinem Tode wirkte und, zeugend, gleiche
Kinder schuf.
Seine Liebe zu Julien kann man einen fixen Wahnsinn
nennen, da sie nicht durch das geringste Entgegenkom-

men von Seite der Geliebten erwiedert, ja, in späterer Zeit vielleicht bemitleidet ward.«

E. T. A. Hoffmann in Aufzeichnungen seiner Freunde und Bekannten. Eine Sammlung von Friedrich Schnapp. München: Winkler, 1974. S. 189

Gleichwohl ging Kunz auf Hoffmanns Mystifikationsbedürfnis ein und verschob den Abschluß des Verlagsvertrags auf den 18. März 1813, Julias Geburtstag:

Vertrag

zwischen dem Kaufmann, Herrn Carl Friedrich Kunz
und dem Musikdirektor
Ernst Theodor Amadeus Hoffmann

den Verlag der literarischen Werke des letzteren betreffend. Es hat sich begeben, daß Herr Kunz, nachdem er für die Verbreitung der Literatur auf mehrfache Weise gesorgt, mit großer Vorliebe für jedes literarische Geschäft sich auch entschlossen, eigene Verlagswerke ans Licht zu stellen, wogegen der M. D. Hoffmann, der eigentlich nur Noten schreiben sollte, sich auch nicht ohne Glück auf mannigfache Art in das literarische Feld gewagt. Beide in Freundschaft stehend, wollen sich nun in ihren literarischen Bemühungen möglichst unterstützen, damit das fernere Gedeihen ihnen Freude bringe, und haben die nähere Art und Weise ihres literarischen Bundes in folgenden Punkten unwiderruflich festgestellt:

§ 1.

Der M.-D. Hoffmann verpflichtet sich, diejenigen vier Werke, welche er von heute an in den Druck gibt, ohne Rücksicht auf den Ort, wo er sich aufhält oder auf andere Verhältnisse dem Hrn. Kunz dergestalt in Verlag zu geben, daß er über das erhaltene Manuskript als über sein Eigentum schalten und walten kann.

§ 2.

Der Hr. Kunz verpflichtet sich dagegen, die genannten Werke, wenn auch nicht mit typographischem Aufwande, doch auf würdige Weise, d. h. mit guter Schrift auf gutem Druckpapier abdrucken zu lassen und für das erste Werk den Druckbogen mit acht Reichsthaler (8 rth.), für die folgenden Werke aber den Druckbogen zu zehn Reichsth, (10 rth.) Sächs. Cour. zu honorieren.

§ 3.

Das erste Werk unter dem Titel: Fantasiestücke in Callots Manier soll in zwölf Druckbogen mehrere Aufsätze enthalten, von denen einige schon in der Musikalischen Zeitung enthalten sind. Die übrigen verspricht der M.-D. Hoffmann in der Art zu liefern, daß der Druck schon jetzt beginnen und ununterbrochen fortgesetzt werden kann. Sollten die jetzt projektierten Aufsätze mehr als zwölf Bogen betragen, so verlangt der M.-D. Hoffmann für die mehreren Blätter kein besonderes Honorar.

§ 4.

Der Herr Kunz verpflichtet sich, das für das erste Werk bestimmte Honorar dem M.-D. Hoffmann bis zum achten April d. J. zu zahlen; die anderen folgenden Werke aber in der Art zu honorieren, daß nach dem Überschlage der Bogenzahl die eine Hälfte des Honorars nach Ablieferung des Manuskripts, die andere Hälfte aber nach vollendetem Abdruck gezahlt wird. Etwa entstandene Irrtümer bei Berechnung der Bogenzahl gleichen sich bei der Zahlung der letzten Hälfte des Honorars aus.

§ 5.

Rücksichts der literarischen Werke des M.-D. Hoffmann, welche er nach den hier in Rede stehenden vier Werken schreiben sollte, räumt er dem Herrn Kunz ein Näherrecht in der Art ein:

»Äpfelweib«. Kopie des Türknaufs am Haus Eisgrube 14
in Bamberg
(Bamberger Staatsbibliothek, Hoffmann-Forschungsstelle.
Foto: Brigitte Kern)

daß der M.-D. Hoffmann gehalten ist, auch *diese* Werke
dem Hrn. Kunz in Verlag zu geben, sobald dieser sich
bereit erklärt, dasselbe Honorar unter denselben Bedingungen zu zahlen, welches ein anderer Buchhändler
dem Verfasser nachweislich zahlen will.

§ 6.

Sollte von diesem oder jenem der vier in Rede stehenden
Werke eine neue Auflage veranstaltet werden, so verpflichtet sich Herr Kunz, dem Verfasser davon Anzeige
zu machen und zahlt, wenn dieser bedeutende Änderun-
gen und Zusätze macht, unter denselben Bedingungen
wie bei der ersten Auflage die Hälfte des ersten Honorars. Ändert dagegen der Verfasser gar nichts oder nur

unbedeutend, so ist Hr. Kunz zu keinem zweiten Honorar verpflichtet.

In dem festiglichen Glauben, daß dem geschlossenen Bunde Gutes entsprießen werde, haben die Kontrahenten in Fröhlichkeit und gutem Willen den Kontrakt so wie folgt durch ihre Namensunterschrift vollzogen und abgeschlossen. So geschehen Bamberg, den 18. März 1813.

Ernst Theodor Amadeus   Carl Friedrich
Hoffmann   Kunz
Musikdirektor.

Walther Harich: E. T. A. Hoffmann. Das Leben eines Künstlers. Bd. 1. Berlin: Reiß, 1920. S. 192–194.

Da Hoffmann die vereinbarten zwölf Bogen pro Band erheblich überschritt, bewirkte § 3, daß er den *Goldnen Topf,* der inzwischen ungezählte Auflagen erlebte und sogar ins Japanische übersetzt wurde, praktisch verschenkte. Auch die zweite, kaum veränderte Auflage von 1819 blieb gemäß § 6 ohne Honorar.
Der Vertrag, der Hoffmanns Laufbahn als Literat einleitete, vermochte seine wirtschaftliche Lage nicht mehr entscheidend zu verbessern. Zwar stimulierte die Leidenschaft für Julia Hoffmanns schöpferische Kraft, aber sein Zwischenspiel als »freier Künstler« in Bamberg endete mit einem Fiasko.

3. Märchendichtung als Eskapismus

In all den kriegerischen Wirren hatte der dichtende Kapellmeister und Regierungsrat a. D. die Nerven, die ersten Skizzen zum *Goldnen Topf* zu entwerfen, die Niederschrift zu beginnen, einen intensiven Briefwechsel mit seinem Verleger Kunz zu führen und eine ganze Reihe kleinerer Arbeiten zu verfassen. Dabei spiegelt der *Goldne Topf* fast nichts von seiner persönlichen Bedrängnis. Das ist kein Zufall, sondern erklärter Kunstwille. Am 19. August 1813, eine Woche vor der Schlacht bei Dresden, schrieb Hoffmann an Kunz:

»In keiner als in dieser düstern verhängnißvollen Zeit, wo man seine Existenz von Tage zu Tage fristet und ihrer froh wird, hat mich das Schreiben so angesprochen – es ist, als schlösse ich mir ein wunderbares Reich auf, das aus mein[em] Innern hervorgehend und sich gestaltend mich dem Drange des Aüßern entrückte – Mich beschäftigt die Fortsetzung [der Fantasiestücke] ungemein, vorzüglich ein *Mährchen* das beynahe einen Band einnehmen wird – Denken Sie dabey nicht, Bester! an Schehezerade und Tausend und Eine Nacht – der Turban und türkische Hosen sind gänzlich verbannt – Feenhaft und wunderbar aber keck ins gewöhnliche alltägliche Leben tretend und sei[ne] Gestalten ergreifend soll das Ganze werden. So z. B. ist der Geheime Archivarius Lindhorst ein ungemeiner arger Zauberer, dessen drey Töchter in grünem Gold glänzende Schlänglein in Krystallen aufbewahrt werden, aber am H. DreyfaltigkeitsTage dürfen sie sich drey Stunden lang im HollunderBusch an Ampels Garten sonnen, wo alle Kaffee und Biergäste vorübergehn – aber der Jüngling, der im Fest[t]agsRock sei[ne] Buttersemmel im Schatten des Busches verzehren wollte ans morgende Collegium denkend, wird in unendliche wahnsinnige Liebe verstrickt für eine der grünen – er wird aufgeboten – getraut – bekomt zur MitGift einen goldnen Nachttopf mit Juwelen besezt – als er das erstemahl hineinpißt verwandelt er sich in einen MeerKater u. s. w. – Sie bemerken Freund! daß Gozzi und Faffner spuken!«

B I. Nr. 446.

Inmitten der Kriegsereignisse beschäftigte sich Hoffmann
mit einem ästhetischen Problem, der »epischen Integra-
tion des Wunderbaren« (Rockenbach), mit der Idee, das
Wunderbare »keck ins gewöhnliche alltägliche Leben«
treten zu lassen. Auf die Neuartigkeit dieses Erzählprin-
zips hat er später immer wieder hingewiesen (vgl. auch
Kap. IV).

»Das Mährchen *sub titulo*: der goldene Topf ist fertig, aber
noch nicht ins Reine gebracht«, ließ er Kunz am 17. November 1813 wissen (B I; Nr. 454). Das kann nicht stimmen, oder Hoffmann hatte die Erzählung tatsächlich schon
fix und fertig im Kopf. Denn erst am 26. November meldet
das Tagebuch: »Krank zu Hause – jedoch *das Mährchen*
›Der goldne Topf‹ mit Glück angefang[en]«. Von da an finden sich in unregelmäßigen, aber kurzen Abständen immer
wieder Notizen wie: »Abends bis 9½ Uhr fleißig und mit
Glück am Mährchen gearbeitet« (1. 12.) oder »An der Abschrift des Mährchens geschrieben« (13. 12.) und »Abends
an der Abschrift des Mährchens geschrieben und aufs
Neue gefunden daß es gut ist« (31. 12. 1813). Am 24. Januar 1814 teilte Hoffmann in aufgeräumter Stimmung seinem
Tagebuch mit: »5te Vigilie des Mährch[ens] gemacht [...]
gemüthlicher GeburtstagsAbend – sich in eigner Glorie
gesonnt und was auf sich selbst geh[alten]«. – »[...] die
schwere achte Vigilie des Mährchens mit Glück geendigt –
gemüthl[iche] St[immung]« lautete der Eintrag vom 7. Februar 1814, und schon am 15. Februar vermerkte der Dichter mit Genugtuung: »Vollendung des Mährchens mit
Glük bey Punsch. Den 15 das Mährchen *›der goldne Topf‹*
geendigt und *zwar mit Glück* in voller Gemüthlichkeit
beym Glase Punsch den mir die Frau bereitet –« (T 237–
247). Die Atlantis-Vision unter dem Einfluss von Johannes-Kreisler-Punsch scheint also auch eine autobiographi-
sche Erfahrung zu sein.
Die Reinschrift der ersten vier Vigilien entstand vom
13. Dezember 1813 bis Mitte Januar 1814, die der letzten

acht Vigilien von Mitte Februar bis 4. März 1814 (vgl. B I, 420, Anm. 10).
Am 5. März 1814 vermerkte Hoffmann im Tagebuch: »Mährchen abgesendet« (T 248).

4. Der »Kapellmeister Kreisler« als Erfolgsautor

Nach dem Hinauswurf durch Seconda hielt sich Hoffmann monatelang als Musikkritiker und Karikaturist unter erbärmlichsten Umständen über Wasser. Zwar begannen seine literarischen Arbeiten Honorar abzuwerfen, aber zu wenig. Da begegnete er am 6. Juli unerwartet in Leipzig seinem Jugendfreund Theodor Gottlieb Hippel (1775–1843), vortragender Rat beim Staatskanzler Hardenberg (1750–1822). Hippel sagte ihm augenblicklich »eine Anstellung in Berlin« zu. An Hippel schrieb Hoffmann am 27. Juli 1814:

»Meine einzige Hoffnung hatte ich, und habe ich auf Dich gestellt! – Nimm dies Billett für weiter nichts, als für den Ausbruch ein[e]s recht im Innersten bewegten und beängsteten Gemüths, und tröste mich bald mit ein Paar Zeilen, sollten sie auch nur von Hoffnungen sprechen können. – Könte ich doch nur erst Leipzig verlassen – Du glaubst es nicht, wie schwer es hält mich hier durchzubringen da die Theurung mit jedem Tage steigt, so aber mit meiner Casse in beständigem Gegensatz steht.«

B I. Nr. 532.

Am 24. September 1814 reiste Hoffmann von Leipzig nach Berlin. Er hatte als »freier Künstler« kapituliert.
Am 24. Januar 1815, seinem 39. Geburtstag, bat E. T. A. Hoffmann von Berlin aus seinen Verleger Kunz, ihm »schleunigst sechs Exemplare« seiner »Fantasiestücke« anzuweisen (B II, Nr. 569). Der dritte Band der *Fantasiestücke in Callot's Manier* war vermutlich um die Jahreswende

erschienen und enthielt nur das Märchen *Der goldne Topf*. Hoffmann, der seit 1. Oktober als »Hülfskraft« ohne Gehalt am Berliner Kammergericht arbeitete, wollte Freunde damit beschenken.

Er wusste, dass ihm mit dem *Goldnen Topf* ein Meisterwerk gelungen war. Der Berliner Literatenzirkel um Fouqué hatte den »Kapellmeister Kreisler«, wie Hoffmanns flüchtig getarntes Rollen-Ich in den *Fantasiestücken* heißt, mit offenen Armen empfangen, ohne den *Goldnen Topf* zu kennen. Hoffmann berichtete darüber am 28. September 1814 an Kunz:

»Durch die Fantasiestücke bin ich hier ganz bekannt geworden, und ich kan auch sagen *merkwürdig* denn der *Berganza* ist ein Fehdehund geworden der unt[er] die *Damen* gefahren, wogegen der Magnetiseur ganz nach der *Frauen* Wunsch gerathen. – Nach dem Diner wurde ich gestern bey ein[em] Thee unt[er] dem Nahmen eines Doktor Schulz aus Rathenow eingeführt, und erst nachdem viel und gut musicirt, sagte Fouqué: der Kapellm[eister] J[ohannes] Kr[eisler] befindet sich unter uns – und hier ist er! – ppp Das übrige könn[en] Sie sich denken. –«

B II. Nr. 552.

Das war zwar nicht der Ruhm, den sich der Mozart-Enthusiast und Komponist »Amadeus« Hoffmann erträumte. (1809 hatte Hoffmann, aus Verehrung für Mozart, seinen dritten Vornamen »Wilhelm« abgelegt und den Künstlernamen »Amadeus« angenommen.) Dauerhaften Ruhm als Komponist brachte ihm auch die Oper *Undine* nicht ein, die er, nach einem Libretto von Fouqué, in Berlin vollendete (Uraufführung 1816). Aber mit dem Literaten Hoffmann, der den Taktstock des »Kapellmeisters Kreisler« im Herbst 1814 endgültig niedergelegt hatte, ging es steil aufwärts. Hoffmann wurde ein umworbener Autor. Von verschiedenen Verlagen erreichten ihn Angebote zur Mitarbeit an den populären Taschenbüchern. Sein Bogenhonorar kletterte von 8 Reichstalern für den ersten Band der *Fantasiestücke* rasch auf immer höhere Sätze. Von Friedrich Arnold Brockhaus erhielt er für die Erzählung *Der Artushof* (1815), die im Herbst 1816 im Taschenbuch *Urania* erschien, $21^{1}/_{3}$ Reichstaler pro Bogen (B II, Nr. 592). 1822 forderte er von Johann Leopold Schrag, dem Verleger des *Frauentaschenbuchs* in Nürnberg, $42^{2}/_{3}$ Reichstaler pro Bogen (B II, Nr. 1012). Um 1815 war mit rund 50 Reichstalern, also etwa Hoffmanns Druckbogenhonorar von 1822, das monatliche Existenzminimum zu bestreiten (B I, Nr. 489).

Der Dichter des Märchens vom *Goldnen Topf* war jedenfalls von 1815 an für etwa ein Jahrzehnt der meistgelesene Autor Deutschlands. Bald galt Hoffmann in Berlin, wo er, nach der neusten Pariser Mode gekleidet, als Stammgast in der Weinstube von J. C. Lutter anzutreffen war, als Original. 1816 zum Kammergerichtsrat ernannt und mit 1000 Reichstalern jährlich durchaus ordentlich besoldet, erfüllte er seine Amtspflichten mit peinlichster Gewissenhaftigkeit und genoss wegen seiner Fähigkeiten als Jurist bei seinen Vorgesetzten hohes Ansehen. Am 25. Juni 1822 starb er.

Der Tod beendete die Qualen, die er wegen eines unheilbaren Rückenmarkleidens erdulden mußte. Er entzog ihn dem Disziplinarverfahren, das er sich mit dem *Meister Floh* (1822) bzw. der bitterbösen »Knarrpanti«-Satire auf den Berliner Demagogenschnüffler, Polizeidirektor Karl Albert von Kamptz (1769–1849), an den Hals fabuliert hatte. Seine bis zur Selbstaufgabe treue Frau »Mischa« (Michalina, geb. Rorer, 1778–1858) schlug die Erbschaft aus. Denn der hochbezahlte Autor hinterließ ungedeckte Verbindlichkeiten in Höhe von 1300 Reichstalern, dazu fast 1200 Reichstaler Zechschulden bei J. C. Lutter (*E. T. A. Hoffmann in Aufzeichnungen seiner Freunde und Bekannten*, München 1974, S. 688 f.).

VI. Dokumente zur Rezeptionsgeschichte

1. Einführung: Der Wirkungszusammenhang zwischen Autor, Werk, Vermittler, Leser, Staat und Gesellschaft zur Entstehungszeit des Märchens *Der goldne Topf*

Der Kampf gegen Napoleon, ohne die Hilfe des Bürgertums nicht zu gewinnen, schafft in den Staaten des Deutschen Bundes ein relativ liberales Klima. Trotzdem isoliert sich die Intelligenz von der Gesellschaft und führt ein Sonderdasein, das vorzüglich eskapistisch-ästhetischen Interessen gewidmet ist. Anselmus bildet ein typisches Beispiel dafür.

Der Begriff des »Philisters«, des »Spießers« entsteht; gemeint ist der Mann, der seine Zeit ausschließlich den Geschäften und dem täglichen Kram widmet. Hoffmann überschüttet ihn nicht nur im *Goldnen Topf* mit Hohn. Das heißt aber in der Praxis, dass der Dichter ausgerechnet jenes Publikum verachtet, auf das er als »freier Künstler« angewiesen ist. Denn seit der Romantik produziert der Schriftsteller ausschließlich für den freien Markt, und zwar für ein bürgerliches Publikum (vgl. Hauser, S. 698). Den fürstlichen Mäzen gibt es nicht mehr; Erfolg hat nur, wer auf dem Markt anbietet, was einem hinreichend großen Leserkreis gefällt.

Hoffmann versammelt in den *Fantasiestücken* eine Reihe von Meistererzählungen; zugleich gelingt ihm der Durchbruch zum Erfolgsautor. Diese Rolle zwingt ihn, das Gruselbedürfnis seiner Leser am laufenden Band mit Spuk-, Vampir- und Doppelgängergeschichten zu versorgen. Sie erscheinen in den populären Taschenbüchern und sind nach Hoffmanns eigener Einschätzung so minderwertig, dass er sie am liebsten mit dem »Vizekopf« (d. h. dem Hinterteil) geschrieben hätte.

Die *Fantasiestücke in Callot's Manier,* und damit auch *Der goldne Topf,* erleben als einziges Werk Hoffmanns noch zu seinen Lebzeiten eine zweite Auflage (1819, bei Friedrich Vieweg in Braunschweig). Dann gehen die Verlagsrechte an F. A. Brockhaus über, wo 1825 die dritte und 1854 die vierte Auflage erscheint (vgl. HKA I, S. XXVII, Maassen). Über die Auflagenhöhe sind keine Zahlen bekannt; als wirtschaftlich vertretbar gelten etwa 2000 Exemplare. Jean Paul rechnet für seine Romane mit einer Durchschnittsauflage von 3000 Exemplaren. Für höhere Stückzahlen fehlen nicht nur die technischen Voraussetzungen, sondern es fehlt auch das Publikum. Die Koenig'sche Schnellpresse ist zwar schon seit 1810 erfunden, läuft aber erst 1822 in Deutschland an. Um 1800 besteht die Gesamtbevölkerung zu etwa 90% aus körperlich schwer arbeitenden Menschen, 75% davon sind Analphabeten. Außerdem stellen Bücher eine teure Mangelware dar. So erleben die »Leihbibliotheken«, als Magazine für Unterhaltungsstoff, einen regelrechten Ansturm, vor allem durch weibliche Leser.

Die Leser des ästhetisch anspruchsvollen und vielschichtigen Märchens *Der goldne Topf* stammen aus der dünnen Schicht der Intellektuellen. Dort kennt man die französischen Feenmärchen, die Märchen Wielands, Goethes und des Novalis, die Wahnsinnsmärchen des jungen Tieck und die Grimm'schen *Kinder- und Hausmärchen* (1812). Vor diesem Erwartungshorizont heben sich Hoffmanns »Wirklichkeitsmärchen« um so verblüffender ab. (Vgl. Kap. VI.3, S. 167 f.).

Carl Friedrich Kunz, Hoffmanns »Verlagsbuchhändler« und Saufkumpan aus den Bamberger Kapellmeisterjahren, und sein nebenberuflicher Lektor, der Redakteur Friedrich Gottlob Wetzel, erkennen Hoffmanns Genie als Erste. Kunz ist eigentlich Weinhändler und betreibt nur nebenbei ein nicht besonders florierendes »Leseinstitut«. Es liegt auf der Hand, dass Leute wie Kunz weniger an Kultur als an Kommerz denken und vor allem ihre Investitionen verzinst sehen wollen. So ist der Vertrag, den der Jurist Hoffmann am 18. März 1813 mit Kunz schließt, für den Autor Hoffmann sehr ungünstig (s. S. 118–121). Aber so mancher Dichter ging schon vergeblich mit seinen Manuskripten hausieren, und auch Hoffmann selbst hat später Schwierigkeiten, für ein Meisterwerk wie *Die Elixiere des Teufels* (1815/16) einen Verleger zu finden. Die tatsächliche Lage des Autors Hoffmann spiegelt sich in einigen versteckten Hinweisen im Märchen *Der goldne Topf* (z. B. 6,6–12; 19,32–35; 21,16; 97,25f.; 101,29–31), und der »miterzählte Autor« ist sicher Hoffmann selbst. Vom honorigen preußischen Regierungsrat zu einer Art Hofnarr der Bamberger Honoratiorengesellschaft heruntergesunken, leidet er unter der Not und den Verhältnissen, die ihn zwingen, sich durchzuhungern und durchzupumpen. Aber auch der entlassene Kapellmeister der Truppe Seconda denkt nicht daran, für seine persönliche Situation »Ausheuter« verantwortlich zu machen oder von einer revolutionären Veränderung der Gesellschaft bessere Existenzbedingungen für den Künstler zu erwarten. Er bleibt der durch und durch unpolitische Individualist, der in der Kunst eine autonome, von den allgemeinen Erfordernissen des gesellschaftlichen Zusammenlebens unabhängige Sphäre sieht (vgl. Werner, S. 35 ff.).

Als er den *Goldnen Topf* schreibt, träumt er sich buchstäblich aus unerträglichen Lebens- und Umweltbedingungen hinaus. Er träumt die Utopie einer ästhetischen Existenz, jenseits ökonomischer Zwänge.

Ohne Rücksicht auf die tatsächlichen Verhältnisse sucht Hoffmann im Leser einen Gefolgsmann für seine Künstlerideologie, die um die Wende zum 20. Jahrhundert für den Künstler das Recht auf extremsten Subjektivismus fordert.

2. Stimmen aus dem 19. Jahrhundert

Seinen ersten Rezensenten findet Hoffmann 1815 in dem Dichterkollegen FRIEDRICH GOTTLOB WETZEL (1779–1819), Redakteur des *Fränkischen Merkurs* in Bamberg. Wetzel, der als Lektor Hoffmanns Verleger Kunz berät, hat schon die Fortschritte bei der Niederschrift des Märchens mit ermunternden Zurufen begleitet. Er schreibt unmittelbar nach dem Erscheinen des dritten Bandes eine enthusiastische Rezension über die *Fantasiestücke in Callot's Manier*:

»Der *dritte* Band enthält bloß das schon oben erwähnte Mährchen, genannt *vom goldenen Topf*. Wenn es Werke des Genius gibt, die, gleich hoch über Lob und Tadel erhaben, den Maßstab, nach welchem sie zu messen sind, erst mit sich selbst auf die Welt bringen, so rechnen wir unbedenklich dieses wunderschöne Mährchen zu jenen seltnen Geistesblüthen. In der That wüßten wir neben ihm nichts zu nennen, als Göthe's berühmtes Mährchen in den Unterhaltungen Deutscher Ausgewanderter und Fouque's liebliche Undine; doch übertrifft der goldene Topf diese unstreitig noch an phantastischem Reichthum und kecker lebendiger Charakteristik. Die kühnste Phantasie, mit den gewagtesten Combinationen, wie nur der Traum sie schaffen kann, in geisterhafter Lebendigkeit spielend, durchdringt sich in diesem wunderbaren Produkte mit dem reifsten Verstande und der klarsten Besonnenheit. Die dem Ganzen zum Grunde liegende Idee ist mit eben so streng philosophischer Consequenz durchgeführt, als mit der herrlichsten Ironie objectivirt und durch und durch beseelt, und die unvergleichliche Geschichte wird den ernsten Denker eben so durch die geistreichste Planmäßigkeit und durch den Tiefsinn der Ideen ansprechen, als den oberflächlichsten Leser durch bezaubernde Anmuth der Darstellung gewinnen und festhalten: was

eben der Stempel eines ächt poetischen Werkes aus gedie-
genem Golde ist. Was der Verf. mit seinem Mährchen unter andern gewollt, so wie den Geist desselben, verräth er
S. 69 selbst mit folgendem Winke: ›Versuche es, geneigter
Leser! [...] die bekannten Gestalten, wie sie täglich, wie
man zu sagen pflegt im gemeinen Leben, um dich her-
wandeln, wieder zu erkennen. Du wirst dann glauben,
daß dir jenes herrliche Reich viel näher liege, als du wohl
sonst meintest.‹ Und in der That, hier ist mehr als *Andeu-
tung*, es ist das wunderbare Geisterreich selber, was sich
in lebendiger Gegenwart vor uns aufthut. Es ist das Ge-
heimniß aller Geheimnisse, das große Mysterium aller
endlichen Schöpfung, des Abfalles und der Wiederkehr
des Vergänglichen in das ursprüngliche Seyn, woran dies
Mährchen erinnert. Auch einen schönen Hymnus auf die
Poesie selber könnte man es nennen, denn es ist ein poetisches Gemüth, an welchem jene Verklärung des unschein-
baren Erdkeims zum Glanz uralter Seligkeit gefeyert
wird. Der herrliche Mythus vom Phosphorus S. 48, die
Erzählung von der Liebe und den Leiden des Salamanders und die Geschichte des Studenten Anselmus (und
bringen wir es höher auf Erden? –) ist im Grunde eine
und dieselbe erhabene Allegorie des Abfalles und der
ewigen Wiederkehr, alle drey Bilder bezeichneten die stu-
fenweise Entfernung und Emanation des Endlichen aus
dem Unendlichen.
[...] Wir schließen an diese allgemeine Andeutungen über
Geist und Bedeutung des Werkes noch einige besondere
Winke. Zuerst spricht uns von allen Blättern die seltene
Kunst an, womit der Dichter sein Mährchen auf sicheren,
wohlbekannten Boden festgründet, ganz der Weise unse-
rer gewöhnlichen Romantiker entgegen, bey denen Alles
in Nebel spielt, und die ihre Dichtungen nach Spanien,
Italien, Indien oder gar nach Utopien verlegen, weil sie
der Kraft lebendiger Vergegenwärtigung ermangeln. Uns-
res Verf. Mährchen spielt in Dresden und in der neuesten

Zeit, sein dreister Pinsel scheut auch die nächste Nähe
nicht [...]. Auch sind die Figuren seines Mährchens mit so
ergreifender Wahrheit, so hinreißender Natur gezeichnet,
daß man schwören sollte, man habe sie gekannt und sey
mit ihnen umgegangen. Demohngeachtet begleitet eine
leise Geistermusik das Ganze vom Anfang zum Ende.
Nichts ist lieblicher als die erste Erscheinung Serpentina's
(der Geliebten des Anselmus) und ihrer beyden Schwestern in der Gestalt kleiner goldgrüner Schlangen. (Die
Schlange hier als Symbol der Erdverwandtschaft, der
Weiblichkeit, noch ohne die spätere schlimme Bedeutung.)
Mit unnachahmlicher Kunst ist das wechselweise Hervortreten der gemeinen und der Wunder-Welt geschildert, je
nach der innern Stimmung des Gemüths, nach der Beleuchtung von Innen heraus, und wir erinnern uns kaum,
den Zauber dieser Doppelanschauung von einem andern
Dichter so geisterhaft und dabey so wahr dargestellt gefunden zu haben. [...]
Wir schließen mit folgenden Worten eines Freundes [...]:

> Wär' ich der Geisterkönig Phosphorus,
> Dir lohnt' ich für den herrlichen Genuß
> Mit Serpentina's Schwestern einer:
> Denn *du* verdienst sie, oder keiner.«

Heidelbergische Jahrbücher der Litteratur. Nr. 66
(1815) S. 1050–56.

Mit einem flüchtigen, im ganzen aber wohlwollenden
Hinweis auf die *Fantasiestücke* begnügen sich die *Göttin-
gischen gelehrten Anzeigen* vom 6. Mai 1815. Der ano-
nyme Rezensent fühlt sich zwar an die »Coglionerie«
(›Albernheiten‹) des *Rasenden Roland* erinnert, aber er
erkennt auch Hoffmanns darstellerisches Temperament,
seine Beobachtungsgabe und Urteilsfähigkeit an.
Aus dem Kreis um die *Jenaische Allgemeine Literatur-
Zeitung*, die im Wesentlichen Goethes Meinung wider-

spiegeln dürfte, kommt dann der erste Angriff auf den »Verfasser der Fantasiestücke«:

»Wie ist doch hier die ganze Unart und Abart der neueren Ästhetik der Deutschen so sichtbar, welche [...] sich dahin verirrt hat, in jegliche Laune, in das Gewöhnliche, gar zu oft das Alberne einen phantastischen Sinn hinein zu interpretiren, und sich für ernst, tief eindringend zu halten, wenn ein Clarinettist, der ein ganz besonderes Organ braucht, seinem Instrumente Athem zu geben, ein Teufel, dem die Nase zur Flinte gewachsen ist, uns geheime Andeutungen verräth, die unter dem Schleyer der Scurrilitäten verborgen sind! Da fühlt man sich auf der Höhe der Ironie? Aber zu dieser gehört die größte Schärfe des Geistes, neben dem reichsten Wohlwollen des Gemüthes; ohne dieß übt sie eine verödende Kraft auf denjenigen, der sich ihrer bedient, und dieser Fluch hat den Vf. schon getroffen, [...]

Durchgängig noch am besten gelungen scheint uns die Erzählung, *der goldene Topf.* Die Abtheilung in Vigilien, deren Inhaltsverzeichniß immer die groteskesten Dinge neben einander aufzählt, hat dem Vf. freylich auch nicht viel Erfindungsgabe gekostet, die *Jean Paul* ihm hier wiederum ersparte, und an dem Studenten Anselmus zeugt nichts als allenfalls seine Ungeschicklichkeit von poetischem Sinn, welcher ihm auch gar nicht beywohnt. Die Verse, die der Fliederbaum ihm singt: ›Das Licht, der Duft ist meine Sprache, wenn mich die Liebe entzündet! Gluth ist meine Sprache, wenn mich Liebe entzündet‹ u.s.w., die Krystallglöcklein, das Klingeln, Ringeln der Schlänglein, hat wohl von Tieck her ihn angeklungen, und das Land Atlantis ihm eben derselbe oder Novalis gezeigt. Sein Selbstgespräch über sein Unglück ist komisch, doch zu lang. Indessen spielt der Contrast zwischen dem Phantasienreich und dem Gebiet der Wirklichkeit ergötzlich durch dieses Ganze.

Eine ausführlichere Beurtheilung des vierten Bandes scheint nicht von nöthen. Der Vf. [...] wird nie etwas als ein Ganzes, nie es anders als verschroben zu fassen und darzustellen im Stande seyn.«

Jenaische Allgemeine Literatur-Zeitung. Nr. 232. Dezember 1815. Sp. 417–422.

Bei seinen dichtenden Zeitgenossen ist Hoffmann nicht beliebt. Dem alten GOETHE bekommen die »goldnen Schlängelein« schlecht, als er 1827 in Carlyles englischer Ausgabe des *Golden Pot* (1826) blättert: »Hoffmanns Leben. Den goldnen Becher angefangen zu lesen. Bekam mir schlecht; ich verwünschte die goldnen Schlängelein« (Johann Wolfgang Goethe, Tagebuch, Weimar, 21. Mai 1827; zit. in: *E. T. A. Hoffmann in Aufzeichnungen seiner Freunde und Bekannten*, S. 744).
Thomas CARLYLE (1795–1881), der eine brillante Übersetzung des Märchens vorlegt, bewundert zwar Hoffmanns Genialität, hält aber seine glitzernden Extravaganzen weniger für Schöpfungen eines Dichters als für »Träume eines Opium-Rauchers«. JEAN PAUL (1763–1825), der die »Fantasiestücke« in die deutsche Literatur eingeführt hatte, höhnt über die »Morgen-, Mittag-, Abend- und Nachtgespenster«. HEINRICH HEINE (1797–1856) hört aus Hoffmanns Werk einen »Angstschrei in zwanzig Bänden« (1836), schätzt ihn aber höher als Novalis, weil er sich mit all seinen »bizarren Fratzen« doch immer an der »irdischen Realität festklammert«. Und der fromme JOSEPH VON EICHENDORFF (1788–1857) entsetzt sich gar über den »wüsten Flug« der von den »Banden des Verstandes« befreiten Fantasie in jenes »unwirthbare Leer«, wo die »Erde nur noch in gespensterhafter Luftspiegelung erscheint« (1847).
Auch das »Junge Deutschland« und seine Repräsentanten wie KARL GUTZKOW (1811–1878), HEINRICH LAUBE (1806–1884) und THEODOR MUNDT (1808–1861) haben

nicht viel für Hoffmann übrig. Die Romantik gilt ihnen
als weltanschaulich und künstlerisch antiquiert und rück-
wärtsgewandt. Ihr Ziel ist es, einen Kontakt der Literatur
mit dem politischen und gesellschaftlichen Leben herzu-
stellen. Hoffmann interessieren ihre Probleme nicht. Seine
»Wirklichkeit« ist völlig anders beschaffen. Bei einer solchen Haltung finden selbst Geistesverwandte wie Heinrich Heine Hoffmann gegenüber nur zu einer Art freundlicher Herablassung.

LUDWIG BÖRNE (1786–1837) fühlt sich vom »richtenden
Verstand« zu den *Serapions-Brüdern* hingezogen; sein Gefühl aber spricht ihnen »den Werth eines poetischen Werkes« ab. Börne hört in Hoffmanns Werk »keinen Ton eines frischen gesunden lebenskräftigen Wesens [...] nur das
Gewinsel der Kranken und Sterbenden«. Er sieht in ihm
ein Lehrbuch des Wahnsinns, dessen Nutzen darin besteht, den nachtwandelnden menschlichen Geist vor dem
Abgrund zu warnen. Börnes grundsätzliche Ablehnung
lässt vermuten, dass eine Einzelrezension über den *Goldnen Topf* auch nicht freundlicher ausgefallen wäre:

»In allen diesen gesammelten Erzählungen und Mährchen
herrscht eine abwärts gekehrte Romantik [...]. Es ist Phantasie darin, aber [...] eine [...] zersetzende Phantasie. Wer
auf Marionettenbühnen jene tanzenden Figuren gesehen
hat, die Hände und Arme, dann Füße und Schenkel, endlich den Kopf wegschleudern, bis sie zuletzt als gräuliche
Rumpfe umherspringen, der hat die Gestalten der Hoffmannschen Erzählungen gesehen, nur daß diese von allen
Gliedern den Kopf zuerst verlieren.«

Ludwig Börne: Gesammelte Schriften. Bd. 4. Hamburg: Hoffmann und Campe, 1840. S. 280 f.

Angriffe auf seine Persönlichkeit, seinen Lebenswandel,
seine Bildung, ja die winzige Gestalt seines Körpers richtet der liberale Literaturhistoriker GEORG GOTTFRIED

GERVINUS (1805–1871) gegen Hoffmann. Gegen seine
Schriften wiederholt er den von Carlyle und Scott erhobe-
nen Vorwurf, sie seien »fieberhafte Träume eines kranken
Gehirns«, wie sie ein »unmäßiger Gebrauch des Opiums
hervorbringe«. Schöpfungen wie den *Goldnen Topf* im
Einzelnen zu charakterisieren hält Gervinus für unnötig:

»Daß seine Schriften, wie sie sind, lange Jahre in Deutschland wirksam gewesen sind, und solche Verirrungen als
bedeutend fördernde Neuigkeiten gesunden Gemüthern
eingeimpft worden, kann, wie Göthe sagt, jeder treue, für
Nationalbildung besorgte Theilnehmer nur mit Trauer sehen.«

Georg Gottfried Gervinus: Geschichte der Deutschen Dichtung. Bd. 5. 4., verb. Ausg. Leipzig: En-
gelmann, 1853. S. 624.

Der ruppige Ton, den Gervinus anschlägt, ist typisch für
die Geringschätzung, die Hoffmann um 1850 bei den
deutschen Germanisten erfährt.
Nur die Franzosen lieben nach wie vor das »genre hoff-
mannesque« und gehen sogar so weit, den Deutschen jedes Verständnis für ihren genialen Landsmann abzuspre-
chen. THÉOPHILE GAUTIER (1811–1872) verehrt Hoffmann. CHARLES NODIER (1780–1844) vergleicht ihn mit
Shakespeare. HONORÉ DE BALZAC (1799–1850) ernennt
ihn kurzerhand zum »Zauberer des Ostens«, und für
GÉRARD DE NERVAL (1808–1855) wird Deutschland zum
»Land Goethes, Schillers und Hoffmanns«.

In Deutschland aber zählen Hoffmann-Kenner und
-Sammler wie der Ingenieur HEINRICH SEIDEL (1842–
1906), erfolgreich als Konstrukteur im Stahlbau und als
Autor der Sonderlingsidylle *Leberecht Hühnchen* (1882),
zu den seltenen Ausnahmen. Das Einleitungsgedicht zu
den *Winterfliegen* (1880) spiegelt das Vergnügen, das Sei-

del an Winterabenden an der Lektüre von Hoffmanns
Märchen findet:

> »Ein Märchen les' ich gern in solcher Zeit,
> Den alten Hoffmann hab' ich aufgeschlagen:
> ›Der goldne Topf‹, die ›Königsbraut‹ und auch
> ›Des kleinen Zaches‹ putzige Geschichte,
> Das liest sich gut in solcher Winternacht.
> So lieg' ich nun gemächlich hingestreckt,
> Zuweilen schlürfend goldig klaren Trank
> Aus Chinas Flur, dem aus kristallner Flasche –
> Zu Ehren Hoffmanns – beigefügt ein Schlückchen
> Des Feuersaftes aus Jamaika.«

Heinrich Wolfgang Seidel: Erinnerungen an Heinrich Seidel. Stuttgart: Cotta, 1912. S. 272 f.

Positivistisch-sachlich auf Fakten gestützt, frei von Ani-
mosität und mit einem Blick für seinen Rang im Umfeld
der Fouqué, Heun und Clauren, geben WILHELM WA-
CKERNAGEL (1806–1869) und ERNST MARTIN (1841–1910)
einen Abriss von Hoffmanns Leben und Werk. Sie sehen
durchaus, dass sein umgetriebenes Dasein mit dem Zusammenbruch Preußens (1806) und der Auflösung der
preußischen Beamtenschaft zusammenhängt. Auch hat es
für sie nichts Ehrenrühriges, dass sich Hoffmann »von
den politischen Fragen« ganz fern hielt und einzig und allein seinen »Enthusiasmus für die Kunst« ausdrückte. Sein
Erfolg als Erzähler, besonders in Frankreich, und seine
lange Nachwirkung werden als Tatsachen registriert.

3. Stimmen aus dem 20. Jahrhundert

Etwa bis 1960 interessierte sich die Hoffmann-Forschung
fast ausschließlich für die geistesgeschichtlichen Zusammenhänge, die hinter dem *Goldnen Topf* stehen. Erst in

den sechziger Jahren wandte sich, angeregt durch die
bahnbrechenden Arbeiten von Wolfgang Kayser (*Das
sprachliche Kunstwerk*, 1948), Eberhard Lämmert (*Bau-
formen des Erzählens*, 1955) und nicht zuletzt durch die
brillante Untersuchung von Ingrid Strohschneider-Kohrs
(*Die romantische Ironie in Theorie und Gestaltung*, 1960)
das Interesse schwerpunktmäßig den Raffinessen von
Hoffmanns virtuoser Erzähltechnik zu. Dabei wurden
auch zahlreiche originelle Interpretationsansätze entwickelt.

RICARDA HUCH (1864–1948) scheut sich in *Ausbreitung
und Verfall der Romantik* (1902), Hoffmann einen »großen Dichter« zu nennen. Aber sie findet ihn »bedeutend«,
weil er »das Wunderbare aus der Seele des Menschen«
schöpfte, »indem er tiefer, bis zu ihrer Nachtseite, hinein-
schaute«.

»Häufig tritt in seinen [Hoffmanns] Erzählungen eine
Person auf, die durch groteske Eigentümlichkeit der äußeren Erscheinung und des Betragens beinahe widerwärtig
auffällt. [...] So [...] der hagere Archivarius Lindhorst mit
den großen starren Augen, die ›aus den knöchernen Höhlen des mageren, runzlichten Gesichtes wie aus einem Gehäuse hervorstrahlten‹, den die Schöße des Überrocks,
wenn der Wind hineinfährt, wie ein paar große Flügel um-
flattern.
Plötzlich, zuweilen, verändert sich die bizarre Erscheinung, die Verzerrung glättet sich in sanfte Erhabenheit,
und durch die komisch häßliche Maske scheinen ehr-
furchtgebietende Mienen. Dann verwandelt sich der weite
damastene Schlafrock des Archivarius in einen Königs-
mantel, ein goldenes Diadem schlingt sich durch seine
weißen Locken, und von seinen anmutigen Lippen strömt
anstatt der kuriosen, unverständlichen Redensart gemüt-
volle Weisheit. [...] In diesen Männern malte sich Hoff-

mann selbst ab [...]. [...] Es gab für ihn, der sich nicht eins in sich fühlte, in Wirklichkeit zwei Welten, und diese Doppelgängerei, diese Bürgerschaft in zwei ganz verschiedenen Reichen, bildet den poetisch-philosophischen Grundgedanken der meisten seiner Schriften.

Am vollkommensten ist Hoffmann die Darstellung dieser Doppelwelt im Märchen vom ›Goldenen Topfe‹ gelungen.«

Ricarda Huch: Die Romantik. In: R. H.: Gesammelte Werke. Bd. 6: Literaturgeschichte und Literaturkritik. Hrsg. von Wilhelm Emrich. Köln: Kiepenheuer & Witsch, 1969. S. 513 f. – © 1969 Verlag Kiepenheuer & Witsch Köln.

RICHARD BENZ (1884–1966) faszinieren Hoffmanns Märchen. Er bewundert die Kunst, mit der hier ein Dichter »aus der Wirklichkeit das Märchen« hervorzaubert, und prägt dafür den Begriff des »Wirklichkeitsmärchens«:

»Wie aber läßt sich eine ganze Märchenhandlung darstellen, wenn das Wunderbare psychologisch gefaßt ist? Wie bleibt bei den anderen Personen der Geschichte die Spannung der Märchenillusion erhalten? Nur, wenn der Held alles erzählte, würde eine Einheit gewahrt sein: muß bei objektiver Darstellung des ganzen Hergangs nicht alles, was außerhalb der Illusionssphäre des Helden steht, in die nüchternste Alltagswelt uns hinabziehen? – Aber weiter – die größte psychologische Darstellungskunst schützt nicht davor, daß wir den Helden, dessen Inneres der herrlichsten Wunder voll ist, von außen sehen. Und da müssen sich ja die lächerlichsten Konflikte mit der Wirklichkeit ergeben! Aber gerade diese scheinbare Unmöglichkeit wird in des Dichters Händen zum stärksten Kunstmittel. Er stellt sich einfach in unsre Reihe und lacht seinen geistersehenden Helden aus vollem Halse mit aus; denn es ist ihm eine alte Sache, daß das innerlich Wertvolle äußerlich so oft komisch erscheinen und verrückt genannt werden

muß. Und durch den Humor, mit dem er seinen Helden
nicht verschont, kommt er zugleich dem übrigen Gesindel
bei: die ganze Alltagswelt wird durch humoristische Darstellung verklärt, so daß sie dem Märchencharakter des
Ganzen nicht mehr widerstrebt. Gerade durch scharfe
Zeichnung des Charakteristischen und durch komische
Steigerung dieses Charakteristischen ins Ungeheuerliche
wird der Alltagsmensch poetisiert und zur Märchenfigur
umgeschaffen. Es ist der Zeichner, der Karikaturist Hoffmann, der hier zum Vorschein kommt. Immer sind es
bildhaft gesehene, scharf umrissene Merkmale der äußeren
Erscheinung: Gesichts-, Körperbildung, Kleidung, Bewegung – die ins Fratzenhafte verzerrt werden und plötzlich,
im Überschreiten einer gewissen Grenze, ein ganz anderes
Wesen aus dem Menschen hervortreten lassen.«

> Richard Benz: Märchen-Dichtung der Romantiker.
> Mit einer Vorgeschichte. Gotha: Perthes, 1908.
> S. 143 f. – © Susanne Müller-Loeffelholz, Göttin-
> gen.

WALTHER HARICHS (1888–1931) zweibändige Hoffmann-
Biographie, bei der zünftigen Germanistik heftig umstrit-
ten, wird eine Art »Bestseller« und trägt wesentlich zu
Hoffmanns Wiederentdeckung aus dem Geist des literarischen Expressionismus bei. *Der goldne Topf* hat für ihn
»revolutionären Charakter«, vor allem deshalb, weil er einen »modernen Naturmythos« stiftet:

»Erst diese Idee von einem Urzustande der Natur, in dem
bereits die uns jetzt erlebbaren Kräfte leise wirkten und an
unseren Schicksalen spannen, erfaßt die Natursymbolik
des ›Goldnen Topfes‹ in ihrer letzten Tiefe. Sie gibt die
Anschauung, daß hinter den Erscheinungen unseres Alltagslebens die ewigen Kräfte der Natur wirken. Unter
dem Leben des Tages treibt ein starker Unterstrom, der
sich dem oberflächlichen Blick entzieht. Es ist das Leben

von Mensch zu Mensch, von Seele zu Seele, von Komplex zu Komplex, das Dasein der geheimen Beziehungen, die die Nacht deckt. Da werden Königreiche an Bettler ausgeteilt, und Fürsten stehen wie Bettler vor verriegelten Türen. Da fallen die Besonderheiten wie Hüllen vor dem Ewigen nieder, und das tiefinnerste Wesen enthüllt sich in einem vom Tag ungeahnten Glanz. Da werden die Sehnsüchte, die in uns liegen seit der Zeit, da wir noch als Tintenfische in den Tiefen des Ozeans schwammen oder über jungfräuliche Blumenmeere wandelten, zum Schicksal. Da ist Archivarius Lindhorst ein Feuersalamander, und Anselmus, der Liebende, verzehrt sich in Sehnsucht nicht nach dem Weibe, sondern nach knisternden, sprühenden Funken, nach schlanken verschlungenen Formen, die über das Wasser zittern und im Gesträuch wispern. Und, was das Entscheidende ist: diese Sehnsüchte *sind*, unabhängig von allen Philosophien und Weltanschauungen. Die naturphilosophischen Konstruktionen jener Tage erscheinen vielmehr aus solchen Heimwehtrieben nach köstlichen Verschlingungen erwachsen. Darin beruht ihre dichterische Berechtigung, ihre Fähigkeit, innere Erlebnisse zur Gestalt zu bringen, und darin beruht die dichterische Kraft des ›Goldnen Topfes‹, dessen revolutionärer Charakter wohl damals kaum von einem Zeitgenossen begriffen wurde.«

Walther Harich: E. T. A. Hoffmann. Das Leben eines Künstlers. Bd. 1. [Berlin:] Reiß, [1920]. S. 232 f.

KARL OCHSNER, von der Schule C. G. Jungs beeinflusst, deutet das Wunderbare im *Goldnen Topf* als eine Schöpfung des Unbewussten:

»Die Märchenwunder sind somit – das sagt Hoffmann selbst – Halluzinationen, Anselmus, mit den Augen des Bürgers und des Psychologen gesehen, ist – nüchtern gesagt – wahnsinnig. Dieses ständige Wechseln des normalen

mit einem Unter- (oder Über-)bewußtsein, diese sukzessi-
ve Bewußtseinspaltung, dieses Zuhausesein sowohl in der
gewöhnlichen wie in einer visionären Welt, ist ein typisch
schizophrener Zug. Aber die aus Anselmus hervorgegan-
genen Erscheinungen gestalten sich ihm wieder als ›mysti-
sches Symbol des Wunderbaren, das uns im Leben überall
entgegentritt‹. Die aus dem Unbewußten hervorbrechen-
den, in die Außenwelt projizierten Bilder sind nicht be-
langlos, nicht bloßes Spiel einer kranken Phantasie, sondern sie sind zugleich Offenbarungen der übersinnlichen
Welt. Diese Auffassung des Dichters Anselmus entspricht
also durchaus der von uns oben dargelegten Kunstan-
schauung Hoffmanns. Dem Visionären sind ›Blicke vergönnt‹ ›in den innersten Haushalt des mächtigen Geistes,
dessen Atem uns in den seltsamsten Ahnungen geheimnisvoll umweht‹, dem Visionären kommt die alle Dinge miteinander verbindende Weltseele zum Bewußtsein, ihm ist
gegeben, was Schelling und Schleiermacher forderten: die
urbildliche Welt, ›das feenhafte Reich, wo die ernste Göt-
tin ihren Schleier lüftet‹, im Endlichen zu schauen.«

Karl Ochsner: E. T. A. Hoffmann als Dichter des
Unbewußten. Ein Beitrag zur Geistesgeschichte der
Romantik. Frauenfeld/Leipzig: Huber, 1936. S. 99 f. –
© 1936 Huber Verlag, Frauenfeld/Leipzig.

1950 entsteht im Schülerkreis C. G. Jungs eine der eigen-
willigsten und interessantesten Interpretationen. Dem
Jung'schen Axiom folgend, dass die »Dichtung zu jenen
seelischen Tätigkeiten gehört, welche unbewußte Inhalte gestalten«, untersucht ANIELA JAFFÉ systematisch die
»Bilder und Symbole« des Märchens vom *Goldnen Topf*
mit den Methoden der Tiefenpsychologie, um den »archetypischen Hintergrund der Hoffmannschen Bilderwelt«
(S. 240 f.) zu erhellen. Der folgende Textauszug bezieht
sich auf die Figur des Anselmus:

»Um die Gestalt des Studenten zu deuten, muß die Frage beantwortet werden, in welcher Beziehung er zu Hoffmann steht. Dieser war zur Zeit, da er die Vision des goldenen Topfes hatte, kein Jüngling mehr, sondern bereits siebenunddreißigjährig. Das ist etwa das Alter, in dem die Lebenswende des Menschen beginnt; es setzt eine neue Entwicklung ein, die kompensatorisch zu dem äußeren Streben das Leben der inneren psychischen Kräfte in den Vordergrund rückt.

In der Regel macht der Mensch während der Pubertät eine erste Wendung nach Innen durch; sie muß aber zugunsten der notwendigen Anpassung an die Erfordernisse der äußeren Realität wieder abgebrochen werden. Wenn nach der Lebensmitte eine neue Hinwendung zu jener anderen Seite des Lebens stattfindet, so erscheint wiederum der jüngere, damalige Mensch – nun als innere Figur – um den Faden da weiter zu spinnen, wo er seinerzeit abgerissen wurde. Die Gestalt dieses jugendlichen Menschen umfaßt somit Vergangenheit und Zukunft. Er ist der eigentliche Held, der die große Fahrt, die Wendung nach Innen wagt. Darum schildern auch fast alle Mythen, deren Inhalt die Erlebnisse des alternden Menschen symbolisieren, Taten und Abenteuer eines jugendlichen Helden.

Hoffmann selber hatte als Student seine Sehnsucht nach dem Besonderen und all seine hochfliegenden künstlerischen Pläne zugunsten der Juristenlaufbahn aufgegeben, er war seinem Weltehrgeiz gefolgt und hatte sich den Ansprüchen des bürgerlichen Lebens gefügt. – Mit siebenunddreißig Jahren, als ihn die Auswegslosigkeit und Einsamkeit nach der Enttäuschung seiner Liebe vor die entscheidenden Lebensfragen stellte, trat ihm aus seinem Unbewußten jener junge Mensch entgegen, der er selbst einst war, der weltfremde Schwärmer und Romantiker, und erhob den Anspruch an Daseinsberechtigung. Dies ist der Student aus dem Märchen vom ›Goldnen Topf‹.

Hoffmann nannte ihn ›Anselmus‹. Das war der Namensheilige am Geburtstag seiner Geliebten, Julia Marc, was als ein Hinweis gelten kann, daß dieser linkische Mensch in einer engen Beziehung zur Geschichte seines Herzens steht. – Er bildet eine Kompensation zu Hoffmanns bewußter Lebenshaltung und damit eine von dieser nicht zu trennende Ergänzung. Die moderne Psychologie hat für diese archetypische Figur den aus den Anschauungen der Primitiven entlehnten Begriff des ›Schattens‹ übernommen.«

Aniela Jaffé: Bilder und Symbole aus E. T. A. Hoffmanns Märchen *Der Goldne Topf*. In: C. G. Jung: Gestaltungen des Unbewußten. Mit einem Beitrag von Aniela Jaffé. Zürich: Rascher, 1950. S. 297–300.

Wolfgang Baumgart (1910–2000) beschreibt das eigentümliche »Organisationsprinzip« von Hoffmanns Märchenwelt mit einer bis dahin nicht erreichten Präzision. Er stellt Hoffmanns Märchenschaffen unter dem Stichwort »Romantische Steigerungen« (1815–20) unmittelbar neben Brentanos Märchen. Mit »romantischen Steigerungen« meint er eine Endform des Fiktiven:

»Eine ebensolche Endform erreicht das Vorstellungsvermögen, aus dem *Ernst Theodor Amadeus Hoffmann* (1776 bis 1822) seine Dichtungen schafft. Aber die Endform ist hier noch deutlicher erkennbar als in der Verabsolutierung des schöpferischen Witzes bei Brentano. Denn hier fühlt man, daß jeden Schritt weiter hinaus bereits die Gefahren psychopathologischer Bedrohung belauern. Das Organisationsprinzip dieser Dichtung ist das Aufeinanderprallen zweier Welten, der realen und einer Phantasiewelt, und zwar nicht so, daß die Erscheinungen und Gestalten der einen und der anderen schicklich getrennt einander gegenüberstehen, sondern daß beide sich auf eine bestürzende Weise miteinander vermischen. Da ist der Königliche Geheime Archivarius Lindhorst zugleich und eigentlich ein

mächtiger Fürst der Salamander (*Der goldne Topf*), der
Geheime Kanzleisekretär Tusmann diskutiert und poku-
liert mit Leuten, die eigentlich vor zweieinhalb Jahrhunderten lebten (*Die Brautwahl*), einem harmlosen Rock
schrumpfen die Ärmel und wachsen die Schöße immer
mehr (*Klein Zaches*), und Blicke durch ausgezogene Fern-
rohre können schmerzhaft verletzen (*Meister Floh*). Die
hinter diesem künstlerischen Prinzip stehende Weltan-
schauung kennt nicht eine, sondern zwei Welten, deren
erste als die dürftige, trockene und verschlackte Wirklich-
keitswelt nur den Ausgang bildet, von dem sich die Spie-
gelbilder des dichterischen Ich und die Objekte seiner An-
teilnahme in das höhere Reich des Wahren und Schönen
erheben; umgekehrt wirken die hohen geistigen Potenzen,
die in dieser Idealsphäre beheimatet sind, wiederum hem-
mend oder fördernd, aber immer in magisch wunderbarer
Weise in die irdische Welt herab, die dadurch stets in ihrem Realitätscharakter durchbrochen wird. Der gewöhnliche Mensch weiß nichts von dieser Doppelung. Der Romantiker, in dem die Erinnerung an die ursprüngliche
Ureinheit des Alls noch als Ahnung lebt, vermag sich zu
dieser zweiten Welt durch die Kunst aufzuschwingen. Es
ist die Problematik des romantischen Künstlers, die hier
mit besonderer Schonungslosigkeit bloßgelegt wird.«

Wolfgang Baumgart: Die Zeit des alten Goethe. In:
Heinz Otto Burger: Annalen der deutschen Literatur. Geschichte der deutschen Literatur von den
Anfängen bis zur Gegenwart. Stuttgart: Metzler,
1952. S. 592 f.

Hermann August Korff (1882–1963):

»Walther Harich, einer der modernen Hoffmann-Enthusi-
asten, hat in seiner Ausgabe, die sich nicht ohne Glück an
einer Neugruppierung von Hoffmanns Werken versucht,
den Goldenen Topf, Klein-Zaches, Prinzessin Brambilla

und Meister Floh unter dem Oberbegriff ›Der kosmische Mythus‹ zusammengefaßt. Das erste, was man tun muß, um zu Hoffmanns Märchen ein richtiges Verhältnis zu gewinnen, ist, diesen Mythus zu zerstören und alle diese Märchen von vornherein als das zu erkennen, was sie in Wahrheit sind: nämlich *Märchenscherze* und gar nichts anderes. Wohl spielen sie alle mehr oder weniger wie schon Hoffmanns Novellen mit allerlei mythologischem, naturphilosophischem, theosophischem und sonstigem Tiefsinn. Aber sie spielen nur damit, und Harich in seiner Hoffmann-Biographie sagt darum mit vollem Recht bei seiner Besprechung des Goldenen Topfes: ›Man darf in dem Schicksal des Salamanders oder des Archivarius Lindhorst keine Allegorie erblicken, deren Auflösung Klarheit über gedankliche Konstruktionen gäbe. Nichts lag Hoffmann ferner, als Allegorien (sprich: philosophische Märchen!) zu dichten. Tiefe *Anklänge* machen uns zwar aufhorchen, aber sie gehen begrifflos (sprich: unbegriffen, unbegreiflich) vorüber und lassen in uns nur eine Stimmung zurück.‹ Wer sie als philosophische Märchen versteht, nimmt ihnen alle Leichtigkeit, die auch nach Harich das Wesen dieser Märchen ist; ja er tut das Verkehrteste, was man mit den Gebilden dieser scherzgeborenen Muse machen kann, und handelt obendrein gegen die klare Intention des Dichters, der in dem Vorwort zur Prinzessin Brambilla, ›um jedem Mißverständnis vorzubeugen‹, ausdrücklich erklärt, ›daß ebensowenig wie Klein-Zaches die Prinzessin Brambilla ein Buch ist für Leute, die alles gern ernst und wichtig nehmen‹.«

Hermann August Korff: Geist der Goethezeit. Bd. 4. Leipzig: Amelang, 1953. S. 619. – © 1953 Koehler & Amelang, Leipzig.

1955 weist FRITZ MARTINI (1909–1991) auf die wechsel-
hafte Rezeptionsgeschichte zu Hoffmanns Werk hin und
skizziert Entwicklungslinien, die über den französischen
Symbolismus und den deutschen Expressionismus bis zu
Hofmannsthal, Kafka und dem Surrealismus eines Breton
und Apollinaire reichen. Für Martini sind Hoffmanns
Kunstmärchen typische Erscheinungen einer »kulturellen
Spätzeit« und ein »primär ästhetisches, ja geradezu artisti-
sches Phänomen«. Die Mehrschichtigkeit der Sprache in
den Märchen spiegle die Widersprüche »zwischen Sinnlichkeit und Transzendenz, fabulierendem Spiel und alle-
gorischer Spekulation, Traum und Gedanken, Dichtung
und Erkenntnis«. Wie im romantischen Kunstmärchen
überhaupt erwachse auch bei Hoffmann das Märchen aus
der »Verschwisterung von Dichten und Erkennen«. Im
»Bewußtsein aller seiner schneidenden Zwiespälte« be-
mühten sie sich um die »tröstende Überwindung« des Lebens:

»Hoffmann sucht über Spaltungen, die ihn dem pessimi-
stischen Existenzerlebnis der Zeit nach Schopenhauer sehr
nahe rücken, in der Sprache der romantischen Poesie den
Glauben an die Möglichkeit der reinen Hingabe an das
Idealische, das dem Sehnsüchtigen die Erfüllung in einem
traumhaften Unendlichen verspricht. Aber er weiß auch
bereits, daß dieser Traum einer letzten Weltgerechtigkeit
aus kosmischen Seinsgründen heraus, wie sie seine Mär-
chengestalten allegorisch spiegeln sollen, und die er in der
Form der Mythologie in seine Märchenerzählungen ein-
baut, nur ein Gebilde der dichterischen, und das heißt hier
der subjektiven Phantasie ist.
Wir verweisen als Beispiel auf den Schluß des ›Goldenen
Topf‹. Aus der verklärten Vision des Atlantis-Reiches einer schwerelosen Glückseligkeit, in das der Student Anselmus nach vielen Prüfungen und bedrohenden Verwir-
rungen eingeht, irrt der Blick des Erzählers in seine eigene

Wirklichkeit zurück, in jene ›Armseligkeiten des kleinlichen Alltagslebens‹, welche sein tatsächliches Leben sind. ›Und mein Blick ist von tausend Unheil wie von dickem Nebel umhüllt, daß ich wohl niemals die Lilie schauen werde.‹ Was hier geschieht, ist jenes schmerzliche Erwachen aus dem Rausch der begeisterten Verlorenheit im Traum des Idealischen [...].«

Fritz Martini: Die Märchendichtungen E. T. A. Hoffmanns. In: Der Deutschunterricht 7 (1955) H. 2. S. 70 f. – Mit Genehmigung von Angela Martini, Witten.

MARIANNE THALMANN (1888–1975) diagnostiziert an Hoffmann eine zeittypische »Leihbibliotheksseele«, d. h. einen Gusto an der »Vielleserei«. Nur noch in der französischen Literatur gebe es ein ähnliches Interesse am Okkulten und Geheimwissenschaftlichen, hinter dem das Bedürfnis nach dem »wissentlichen Verzauberten« stehe. – Für Thalmann verbindet sich in Hoffmanns Märchen die »städtische Wirklichkeit der Gasbeleuchtung« mit dem »orientalischen Schwulst der Schundliteratur« zu »grotesken Dunkelheiten«, die den Vordergrund des Lebens »entwirklichen«. Im Zusammenhang mit der Figurenkonstellation im *Goldnen Topf* interessiert sich Thalmann vor allem für die geistesgeschichtlichen Anregungen, die vom Schikanederschen Text der *Zauberflöte* ausgegangen sind:

»Kinder- und Hausmärchen gehörten gerade nicht zur täglichen Lektüre des Kriminalrats. Sein Geschmack brauchte etwas Gewürzteres. Sie alle haben jung das Spannende der billigen Moderomane ausgelöffelt und den Bodensatz an Gruseligem als Stimulans genossen. Aber E. T. A. Hoffmann hat auch später auf der Flucht aus dem Amtsbetrieb das Skurille im Trivialroman gesucht und gefunden. Das Urbild des Hoffmannschen Märchens liegt im Schikanederschen Text zur *Zauberflöte*, dem Sammelbecken aller Überlieferung, die aus dem Geheimniswissenschaftlichen der Hochgradorden in die Literatur geführt hat. Das Tagebuch aus den Jahren 1813/14 vermerkt immer wieder Proben zur Aufführung der *Zauberflöte*, die ihn während der Niederschrift des *Goldenen Topfs* beschäftigen. Unter dem 7. Februar steht die Notiz ›die schwere achte Vigilie des Märchens mit Glück geendet‹ und unter dem 9. Februar ›Probe zur Zauberflöte. Abends mißrathene Vorstellung, jedoch bloß auf dem Theater‹. Für ihn war ja die *Zauberflöte* nicht mehr ein Stück, dem man Jakobinerabsichten unterlegen müßte, wie sie zur Zeit in Wien kursierten. Hoffmann hat den Blick des praktischen Theatermannes, der hier nicht nur ein reich ausgestattetes Bühnenbild vor sich sah, sondern auch eine Fundgrube an Figuren und Zeichen, die zu überraschenden Mustern miteinander verwoben werden können, ›als gehe ein toller Spuk durchs Leben und treibe uns unwiderstehlich in den Kreis seiner ergötzlichen Neckereien‹. Das war für Hoffmann eine Schatzkammer, wie die vom Vater Mond (Novalis), in der das Kurioseste und Farbigste nebeneinander aufgestapelt waren, womit man eine Erzählung bis zum Rand auffüllen konnte. Er hört hier aus der Instrumentation des Stoffes schon das Moderne heraus – die phantasievolle Einheit von Komik und Tragik. Die Tatsache, daß die zeitgenössische Kritik die Zusammenhänge nicht überblicken konnte, die in Hoffmanns eifrige Lektüre geheimniswissenschaftlicher Schriften zurückreichten und daher eine neue Formensprache nicht verstand, hat wohl dazu geführt, daß man die Märchen ›Hirngespinnste‹ nannte und ihnen den Rang einer Dichtung absprach.

Das Zauberflötenschema übersetzt sich in großen Zügen folgendermaßen ins Märchen: Ein blutjunger Held mit schlotterigen Beinen, immer in Eile, immer die Nase in der Luft und die Füße in jeder Pfütze, stolpert in eine fatale Lage hinein und gerät in närrische Abenteuer. Das besagt nichts gegen ihn. In den Schlingen des Zufalls kann sich der Ehrbarste fangen. Er, der sowenig wie Hoffmann selbst das Zeug zum Damenliebling hat, ist unsterblich verliebt in eine zierliche Mädchenlarve. Was Wunder, wenn er in jedem Wind Mädchenstimmen hört und in allen Gegenständen ein schelmisches oder drohendes Gesicht sieht. Er läuft wie Papageno durch die Straßen und ist Tamino in seinen Träumen. Hoffmann erschafft damit in seinem Helden das Doppelgängertum von Prinz und Pfahlbürger, dessen Beglaubigung im gemeinen Leben das Tragikomische ist.

Ein kluger Meister, ein Sarastro, der etwas vom tölpelhaften Prinzentum versteht, beobachtet ihn, nimmt ihn heran und leitet ihn. [...] Damit ist die Substanz berührt, auf der jedes Hoffmannsche Märchen beruht – der Gehsteig- und Kaffeehauscharakter der Fabel.«

Marianne Thalmann: Das Märchen und die Moderne. Zum Begriff der Surrealität im Märchen der Romantik. Stuttgart: Kohlhammer, 1961. S. 83–85. – © Käthe Fraedrich, Berlin.

1962 untersucht HANS-GEORG WERNER in einer Hoffmann-Monographie die »gesellschaftliche und soziale Bedingtheit« von Hoffmanns Werk. Denn Hoffmann hat (so betont er immer wieder) seine dichterischen Werke unter dem »Druck von Zeitumständen« geschaffen, die er »verabscheute und als feindlich empfand«.

Im Sinne der marxistischen Widerspiegelungstheorie sieht Werner auch in Hoffmanns Märchendichtungen Abbilder der gesellschaftlichen und individuellen Konflikte der Zeit:

»Das künstlerisch vollendetste Werk Hoffmanns, das Märchen ›Der goldne Topf‹, läßt in seiner endgültigen Gestalt den Leser kaum die Bedingungen ahnen, unter denen es entstand. Die nahezu schwerelose Anmut des ironischheiteren Märchenspiels um den Studenten Anselmus und das gläubige Vertrauen des Dichters, daß trotz aller Anfeindungen durch böse Mächte das Gute im Menschen schließlich den Sieg davontragen werde, scheinen darauf hinzudeuten, daß dieses ›Marchen aus der neuen Zeit‹ in einer befriedeten Welt von einem Menschen geschrieben wurde, der voll Vertrauen aus dem Fenster seines Poetenstübchens das geruhsame Treiben seiner Mitbürger beobachten konnte. Das Gegenteil war der Fall. Ein auf sich gestellter Mann voller seelischer Widersprüche, der nur angstvoll in eine ungewisse Zukunft blicken konnte, der ohne sichere Stellung und ohne Besitz sich behaupten mußte, ersann den Plan des Märchens buchstäblich unter dem Donner der Kanonen in einer Stadt, die zum Brennpunkt kriegerischen Geschehens geworden war. [...] [Vgl. dazu Kap. V. 3.] In bewußter Abkehr von der ihn bedrängenden Wirklichkeit flüchtete Hoffmann in ein wunderbares Reich der Träume; nur der Leser, der die Anmut des Märchens nicht als selbstverständlich gegeben hinnimmt, sondern in der Dichtung die sorgsam verborgene Angst Hoffmanns vor der Wirklichkeit aufspürt und der auch etwas von der bangen Sehnsucht des Dichters nach dem Lande Atlantis fühlt, wird den Sinn und die Problematik des Märchens erfassen können.

Die kindliche Gläubigkeit des Studenten Anselmus, die seine schließliche Erlösung aus dem Irdischen ermöglicht, und die seelische Zerrissenheit des Kapellmeisters Kreisler, den eine kunst- und menschenfeindliche Gesellschaft in den Wahnsinn treibt, gehören nicht nur deshalb zusammen, weil sie von der dichterischen Phantasie eines Menschen geboren wurden; Anselmus und Kreisler sind künstlerische Gestalten, die ihre Entstehung derselben gesellschaftlichen Problematik verdanken. Die Skizzen der ›Fantasiestücke‹ wie das Märchen ›Der goldne Topf‹ erwuchsen aus dem Streben des Dichters, sich als Künstler in einer bürgerlichen Umwelt zu behaupten. Sie spiegeln das Unvermögen Hoffmanns, die Konflikte zwischen Künstler und bürgerlicher Gesellschaft praktisch – und damit auch gedanklich und gestalterisch – zu bewältigen, und verweisen den Leser auf eine übersinnliche Welt: Kreisler flieht in den Wahnsinn, Anselmus findet Aufnahme im Reich der Poesie. Hoffmann konnte jedoch im ›Goldnen Topf‹ die tragisch angelegten Konflikte der Kreisler-Dichtungen ins Heitere wenden und gleichsam spielend auflösen, weil ihm die Dichtungsform des Märchens gestattete, mit den Tatsachen des gesellschaftlichen Lebens verhältnismäßig frei zu schalten und die von ihm angenommene höhere Welt in die Darstellung einzubeziehen.«

Hans-Georg Werner: E. T. A. Hoffmann: Darstellung und Deutung der Wirklichkeit im dichterischen Werk. 2., durchges. Aufl. Weimar: Aufbau-Verlag, 1971. S. 142 f. – © 1971 Aufbau-Verlag Berlin und Weimar.

WERNER KOHLSCHMIDT (1904–1983):

»Das Märchen spielt [...] auf zwei Schauplätzen, einem mitten im bürgerlichen Leben, einem in der oberen Sphäre, verbunden aber durch geheimen Rapport, häufig bis zur Identität. Die romantische complexio oppositorum wird realisiert. Der geheime Archivarius Lindhorst ist zugleich Bürger und Magier; das Äpfelweib, das sich verwandeln kann und schließlich als Runkelrübe von Lindhorsts Papagei aufgefressen wird, ist nur die bürgerliche Maske des entgegengesetzten Prinzips: das des schwarzen Drachen gegenüber dem des Phosphorus; ein Gegeneinander, in dem das phosphorische Prinzip schließlich die Oberhand behält. Letztlich verkörpert sich hier nichts anderes als der Gegensatz von Philistertum und Romantik. Das Philistertum tritt dabei als der Verführer, der eigentliche Versucher des genial angelegten Studenten, ihn mit bürgerlicher Ehe und Hofratstitel lockend, auf. [...] Es

meint eine menschliche Möglichkeit, die stets auf dem
Spiele steht: die freie Existenz in der Phantasie gegenüber
der Sklaverei bürgerlicher Zwänge.«

Werner Kohlschmidt: Geschichte der deutschen Literatur. Bd. 3. Stuttgart: Reclam, 1974 [u. ö.]. S. 396.

Mit den katastrophalen Produktionsbedingungen, unter
denen der *Goldne Topf* entstand, beschäftigt sich KLAUS
GÜNZEL (geb. 1936), Bibliothekar in Zittau, in seiner um-
fangreichen Monographie (1976). Günzel erklärt Hoffmanns Interesse an der romantischen Naturphilosophie
und die damit verbundene »zeitweilige Hinwendung zu
den fragwürdigen Bereichen des Nächtlichen, Übersinnlichen und Okkulten« aus Hoffmanns »damaliger Situation« und dem neuen Unglück, das schon bald über ihn
hereinbrechen sollte (vgl. S. 110f., 121, 124).

»Wieder stand er vor einem Scherbenhaufen seiner Hoffnungen. Zur inneren trat bald die äußere Not: schwer
krank, an Lungenentzündung und Gicht darniederliegend,
vegetierte er zusammen mit Mischa im Hinterzimmer eines erbärmlichen Gasthauses. Kümmerlich ernährte er
sich, indem er antinapoleonische Karikaturen anfertigte;
zwar wurden sie bis nach England verbreitet, doch brach-
ten sie ihrem Schöpfer nur unwürdige Almosen ein, zu
denen noch ein paar Taler für musikalische Rezensionen
kamen. Qualvolle Hoffnungslosigkeit marterte den Dichter, der doch eben noch am Flügel, von dem aus er dirigierte, mit Beifall überschüttet worden war.
Vor diesem Hintergrunde muß man seine schon in Bamberg sich anbahnende und nun forcierte Hinwendung zu
den Spekulationen romantischer Naturphilosophie sehen.
In dem damals entstandenen Werk mehrten sich fatalisti-
sche, mystische und den ›Nachtseiten‹ der menschlichen
Existenz zugewandte Züge. Neben den Schriften Schellings und des Popularphilosophen Schubert las er die

pseudowissenschaftlichen Traktate der Mesmer, Kluge und
Reil. Das überreizte Nervensystem, geschwächt außerdem
durch die Neigung zu alkoholischen Getränken, begün-
stigte schließlich noch die in dieser Zeit besonders krasse
Hinwendung zu Fatalismus, Geschichtsfeindlichkeit und
romantischer Weltflucht. In den ›Automaten‹ beschäftigte
er sich mit einem Maschinenwesen, das den Menschen
höhnisch äfft. Das weite und dunkle Gebiet der Bewußt-
seinsspaltung und des menschlichen Identitätsverlustes
wurde zum Hauptthema des virtuos erzählten Romans
›Die Elixiere des Teufels‹, dessen Niederschrift Hoffmann
nicht zufällig elf Tage nach der Kündigung durch Seconda
begann.
Aus der Fülle des in jenen Monaten Geschriebenen ragt
ein Werk hervor, das überhaupt den leuchtenden Höhepunkt von Hoffmanns erster Schaffensphase darstellt:
›Der goldne Topf, ein Märchen aus der neuen Zeit‹. Es
war noch während der letzten Kapellmeisterwochen zu
Papier gebracht worden, von der sich ankündigenden
neuen Misere seines Autors aber bereits gezeichnet. Anselmus, der reine Tor und Märchenheld, sucht inbrünstig
seine Serpentina, die umworbene ferne Geliebte, die er
endlich in Atlantis findet, dem romantischen Reiche der
Poesie. Die Entrückung des erlösten Helden in sein utopisches ›hübsches Rittergut in Atlantis‹ wird mit rhapso-
dischen Worten gefeiert, während die Welt sich selbst und
ihrem Elend überlassen bleibt.«

Klaus Günzel: E. T. A. Hoffmann. Leben und Werk
in Briefen, Selbstzeugnissen und Zeitdokumenten.
Düsseldorf: Claassen, 1979. S. 275 f. – Mit Genehmigung von Klaus Günzel, Zittau.

JENS TISMAR (geb. 1943) korrigiert und interpretiert von
einer sozialgeschichtlichen Position aus den von Richard
Benz geprägten paradoxen Begriff des »Wirklichkeitsmärchens« und analysiert das Kräftefeld, das sich aus der ei-

genartigen Gruppierung von Hoffmanns Märchenpersonal aufbaut:

»Hoffmanns Märchen sind von der Literaturkritik seit langem als ›Wirklichkeitsmärchen‹ rubriziert [...]. Realitäts- und Märchenprinzip stoßen indes zwiespältiger aufeinander, als die paradoxe Formulierung zu erkennen gibt. [... Sie] manifestieren einen Dualismus des Wunderbaren und des Empirischen und demonstrieren in ironisch-humoristischer Weise dessen Aufhebung durch das Erzählen.
›Der goldne Topf‹ (1814) mit dem programmatischen Untertitel ›Ein Märchen aus der neuen Zeit‹ stellt in seiner ersten Szene die für Hoffmanns Märchen charakteristische Ausgangssituation dar. In unverdächtigen Umständen am hellichten Tag platzt unter den Augen flanierender Bürger Irreguläres und Verwunderliches auf: ein geschädigtes Marktweib macht sich über einen ungeschickten Passanten mit Worten nicht einfach Luft, es verwünscht ihn präzis ›ins Kristall‹. Befremdlich, weil dies eben nicht im unwirklichen Territorium des Volksmärchens passiert, sondern an einem bestimmten Tag, dem Himmelfahrtsfest, an einem real auffindbaren Ort, am Schwarzen Tor in Dresden. Dieser Beginn versammelt konstituierende Elemente der Hoffmannschen Märchen. Da ist zuerst der Held (Anselmus): einer, der linkisch aneckt und nicht mit der Mode geht, ein weltfremder Tagträumer, der sein kindliches Gemüt trotz aller Unbill nicht verloren hat; darin ist er jenen Volksmärchenhelden verwandt, denen am Ende alles zufällt, weil ihre Tumbheit sie auszeichnet. Da findet sich zum zweiten eine Figur der Geisterwelt (das Äpfelweib), eine Protagonistin des unirdischen Personals der Elementargeister, das, in eine böse und eine gute Partei zerspalten, für seine Kämpfe, deren Anlässe weit zurückliegen, den Austragungsort just in der Bürgerwelt suchen muß. Darum nehmen sie zum Schein gesellschaftliche Rollen an, aus denen

sie fallen können, wann es ihnen beliebt. Schließlich
kommt in der Eingangs-Szene die dritte Gruppierung des
Märchenpersonals ins Gesichtsfeld: die gewöhnlichen
Bürger, die durch ein stumpfes Organ gegenüber allem
ausgewiesen sind, was über ihren praktischen Realitäts-
sinn hinausgeht. Was sie irritiert, erklären sie sich ohne
Sensibilität und Nachdenken mit dem Naheliegenden, um
es sich fernzuhalten. Im Kräftefeld dieser drei Gruppen
entwickelt sich die Märchenhandlung ›aus der neuen
Zeit‹: wie der Held aus seiner individuellen wie der gesellschaftlichen Zerrissenheit in eine Region der Glückseligkeit hinausgeführt wird, in der Ich und Natur im Einklang sind. [...] Dies Reich wird im ›Goldnen Topf‹ *Atlantis* genannt und am Ende des Märchens dechiffriert: als
das Reich der Poesie (vgl. das Atlantis-Märchen von Novalis), zugleich Heimat der hilfreichen Elementargeister,
die in einer mythischen Spanne – ebenfalls nach Märchen-
schema – ihre durch eigenes Verhalten gestörte Weltord-
nung wiederherzustellen trachten. Die Bedingungen dieser Erlösung sind ihnen in der bürgerlichen Welt gesetzt.
[...]
Das Kunstmärchen Hoffmanns stellt sich als ein ›Wirklichkeitsmärchen‹ dar, indem es die Ausflucht aus der ent-
fremdeten Welt in ihr, aber nur durch Phantasieleistung
passieren läßt. Die Märchenform kommentiert ironisch
die dargestellte Handlung, in der für Einzelne Aufhebung
der Fremdheit und Selbstverwirklichung erreichbar erscheint.«

Mathias Mayer / Jens Tismar: Kunstmärchen.
4. Aufl. Stuttgart: Metzler, 2003. S. 88 f., 91. – ©
2003 J. B. Metzlersche Verlagsbuchhandlung und
Carl Ernst Poeschel Verlag GmbH in Stuttgart.

1974 ging ROLAND HEINE der Frage nach, inwiefern
Hoffmann im *Goldnen Topf* die Postulate der von Friedrich Schlegel theoretisch entwickelten »Transzendental-

poesie« erfüllt, d. h. einer Poesie, in der die Reflexion der Darstellungsbedingungen in die poetische Darstellung integriert ist:

Der transzendentalpoetische Erzählstandpunkt

»Wenn der Erzähler dieses Märchens seine Erzählung an ihrem entscheidenden End- und Höhepunkt kritisch infragestellt, weil er sich des eigenen erzählerischen Unvermögens bewußt wird, den Übergang ›seines‹ Helden in das Reich der Poesie darzustellen, erfüllt er nur zur Hälfte die von Friedrich Schlegel geforderte kritische Distanz dem Stoff gegenüber, da er sie nicht mehr in der Form kritischer Poesie gestalten kann. Nicht e r vermag den laut Schlegel notwendigen transzendentalpoetischen Erzählstandpunkt in seinem Werk einzunehmen, sondern eine ›höhere Erzähl-Instanz‹ [...]. Diese ›höhere Erzähl-Instanz‹, die im größeren Teil des Märchens den Erzähler vorgeschoben hatte und ihm im letzten Teil die nur geliehene Autorialität wieder abnimmt [...], ist der ›eigentliche‹ Erzähler: die anonym bleibende ›Erzählfunktion‹, durch die das ganze Märchen konstituiert wird. [...] Es ist Hoffmanns Kunstgriff, einen nicht mehr autonomen Erzähler von einer Erzählfigur so übergreifen zu lassen, daß sich beide als Erzählgeschöpfe einer erzähltechnisch ›höheren Instanz‹ erweisen: der ›Erzählfunktion‹. In der ›Erzählfunktion‹ dieses Märchens manifestiert sich der transzendentalpoetische Erzählstandpunkt des Dichters E. T. A. Hoffmann.

Der Versuch, die Transzendierung des Märchenhelden in das Reich der Poesie darzustellen, hat die Darstellung dieser romantischen Verwandlung selbst zum Erzählproblem werden lassen: in der Reflexion eines skeptischen Erzählers, der diesen Vorgang nicht mehr erzählen zu können glaubt. Das inhaltliche Problem (das Was der Darstellung) hat sich zum formalen Problem (dem Wie des Dar-

stellens) potenziert und damit im Sinne Friedrich Schlegels eine kritische Poesie ermöglicht, die in der Darstellung ihre Bedingungen reflektiert. Wenn jedoch die transzendentalpoetische Reflexion des Erzählprozesses durch
einen Erzähler veranschaulicht wird, der im Augenblick
seiner Erzähl-Aporie in ›seine‹ Erzählwelt eingeht, von
einer Erzählfigur übergriffen wird, die ihm ›sein‹ Märchen zu Ende erzählen hilft, schlägt das Form-Problem
um [...]. Die Pointe des Schlusses vom GOLDNEN TOPF
liegt darin, daß zwischen dem inhaltlichen Problem – der
Frage nach der Möglichkeit eines Lebens in der Poesie –
und dem formalen Problem – dem Erzählen des Erzählens – eine dialektische Beziehung hergestellt wird. Das
dem Märchen immanente Problem eines Lebens in der
Poesie, wie es Anselmus' Atlantis-Dasein vorstellen soll,
läßt die durch die Erzähler-Aporie veranschaulichte formale Frage nach seiner erzählerischen Darstellung entstehen; dieses formale Problem dient nun seinerseits zum
Anlaß, nun auch das inhaltliche Problem von einem
transzendentalpoetischen Standpunkt zu betrachten. Die
transzendentalpoetische Fragestellung, die das inhaltliche
Problem dem formalen dialektisch zuordnet, wird im
doppelten Sinne durch eine Eingrenzung auf den Bereich
der Kunst beantwortet:
1. Den von der ›Realität‹ her erhobenen Einwänden des
   Erzählers wird der Kunstcharakter des Märchens ent-
   gegengehalten. [...] Damit aber wird Anselmus' wunderbare Existenz [in Atlantis] ausdrücklich als Poesie
   verstanden.
2. Der Erzählskepsis des Erzählers wird der Hinweis auf
   das poetische Besitztum des innern Sinns entgegenge-
   halten. Nur im dichterischen Schaffensprozeß kann das
   poetische Besitztum realisiert werden [...].
Der offene Schluß des Märchens bedeutet daher einerseits
die Zurücknahme des Dargestellten in die künstlerische
Autonomie des Darstellens (Schlegels transzendentalpoe-

tisches Prinzip der *Selbstvernichtung*), andererseits den die Grenzen dieses Märchens sprengenden Vorverweis auf die Möglichkeit immer neuer Objektivationen des inneren Sinns in künftigen Werken (Schlegels transzendentalpoetisches Prinzip der *Selbstschöpfung*). Damit aber wird (1) das formale Problem inhaltlich dargestellt: Die Aporie des Erzählers wird in einer eigenständigen, den bisherigen Zusammenhang des Märchens sprengenden märchenhaften Szene veranschaulicht und aufgehoben; und (2) das inhaltliche Problem formalisiert: Das Leben in der Poesie ist für den Erzähler nicht wie für seinen Helden in einem märchenhaften Atlantis, sondern allein in seinem künstlerischen Schaffensprozeß möglich. Die ›Verinhaltlichung‹ des formalen Problems und die Formalisierung des inhaltlichen Problems läßt den transzendentalen Erzählstandpunkt erkennen, von dem her dieses Märchen konzipiert ist. E. T. A. Hoffmanns GOLDNER TOPF verleiht der theoretischen Vorstellung Friedrich Schlegels von der Transzendentalpoesie eine originelle poetische Gestalt [...].«

Roland Heine: Die fiktionale Reduktion der Transzendentalpoesie. E. T. A. Hoffmanns Märchen *Der goldne Topf*. – In: R. H.: Transzendentalpoesie. Studien zu Friedrich Schlegel, Novalis und E. T. A. Hoffmann. Bonn: Bouvier, 1974. S. 196–198. – © 1974 Bouvier Verlag, Bonn.

Anselmus als Sexual-Feigling

1978 lieferte JAMES M. McGLATHERY in einem Aufsatz eine »neue Lesart« für den *Goldnen Topf*, eine üble freudianische Vergewaltigung des Märchens. Denn McGlathery erklärt den wehrlosen Helden kurzerhand zum heimlichen Sexualfeigling (»unadmitted sexual coward«) und die Begegnungen mit seiner Traumgeliebten Serpentina zu Fluchtversuchen, die sein Unbewusstes arrangiert, damit er in seiner unbewussten Sexualpanik (»subconscious sexual guilt and anxiety«) der ehelichen Intimität mit der heiratswütigen Veronika entgeht. Schließlich stürzt er sich in selbstmörderischer Absicht in die Elbe, während er glaubt, aus dem Kristallgefängnis befreit in Serpentinas Arme zu sinken:

»Die Schlangen-Vision des Anselmus kulminiert, während ihm Serpentina als wunderschönes Mädchen (8. Vigilie) erscheint, und zwar genau einen Tag vor seinem Heiratsantrag an Veronika. Die mythische Geschichte über den Salamander und die Schlange, die ihm Serpentina in intimer Umarmung erzählt, enthält Elemente, die durchaus die Vermutung nahelegen, dass es sich um eine Projektion seiner unbewussten sexuellen Schuld- und Panikgefühle handelt. In Serpentinas Geschichte wird der Salamander, eine Verkörperung männlicher sexueller Leidenschaft, vom Begehren nach einer Schlange ergriffen, die er in einer Lilie gefunden hat, deren Blütenblätter sich unter seinem heißen Atem geöffnet haben. Ehe er seine Leidenschaft zu befriedigen sucht, entführt der Salamander die Schlange von ihrer Mutter, der Lilie, und bringt sie zu dem Geisterfürsten Phosphorus, der die Verbindung segnen soll – so wie Anselmus Lindhorst um Serpentinas Hand bzw. Paulmann um Veronikas Hand gebeten haben würde.

Die sexuellen Schuld- und Angstgefühle des Anselmus werden auf die Warnung des Phosphorus projiziert, der dem Salamander darlegt, dass die Hitze seiner Leidenschaft die Schlange töten oder sie zumindest in ein neues Wesen verwandeln würde, das vor ihm die Flucht ergreift, das heißt, wie eine schamhafte Jungfrau sich in eine leidenschaftliche Frau verwandelt, nachdem sie entjungfert wurde. Phosphorus spricht von seinen eigenen Erfahrungen, wie Anselmus bereits aus der fantastischen Geschichte weiß, die Lindhorst im Kaffeehaus zum Besten gegeben

hat (3. Vigilie), derselben, die in der Tat später des Anselmus mythische Fantasie inspirieren wird.
Wenn, wie wahrscheinlich, Serpentinas Geschichte eine
Projektion von Anselmus' Sexualpanik ist, dann legen seine Fantasien über Lindhorst als Geister-Fürst und Vater
von Serpentina die Vermutung nahe, dass sein Arbeitgeber
in seiner Vorstellung mit beiden Rollen verschmilzt, mit
der des Phosphorus genauso gut wie mit der des Salamander.
Wenn darüber hinaus Lindhorst offensichtlich den Einwohnern von Dresden als ein exzentrischer Junggeselle
bekannt ist, dann ist des Anselmus Freundschaft mit Paulmann, dem verwitweten Vater zweier Töchter, die eine im
heiratsfähigen Alter, die andere in der Pubertät, die eigentliche Quelle von Anselmus Salamander-Geschichte.«

> James McGlathery: »Bald Dein Fall ins Ehe-Bett?« –
> A New Reading of E. T. A. Hoffmann's *Goldner
> Topf*. In: The Germanic Review 53 (1978) H. 3.
> S. 108 f. [Übers.: P.-W. W.]

1980 entwickelte FRIEDRICH A. KITTLER (geb. 1943) die
originelle Idee, die Entfaltung des »Schreiberdienst-Mo-
tivs« schildere die »Erweckung des modernen Autors aus
dem mittelalterlichen Kopisten«, der in der Regel nicht zu
verstehen brauchte, was er da akribisch abmalte:

»Denn der [hermeneutische Zirkel] ist so konstruiert, daß
der Leser beim Eintreten selber zum Schreiber wird und
d. h. andere Leser nachzieht. [...] So ergeht es dem Helden
im *Goldnen Topf* von E. T. A. Hoffmann [...]. Er übernimmt die Arbeit, für einen alten Archivar Manuskripte
abzuschreiben. Zunächst läuft alles wie bei den mittelalterlichen Kopisten: Anselmus soll einen Text abschreiben,
dessen hieroglyphische Zeichen ihm unbekannt sind. Aber
als moderner Leser verzweifelt er an dieser altmodischen
Aufgabe und sucht lieber hinter den Zeichen einen indivi-

duellen Sinn. Und tatsächlich: Anselmus ›fühlt wie aus
dem Innersten heraus‹, daß der unleserliche Text ihn selber und seine Traumgeliebte, die Archivarstochter angeht.
Solche Hermeneutik hat selbsterfüllende Kraft: Alsogleich
erscheint in einer visuellen Halluzination die Geliebte und
erzählt dem Studenten ihrer beider Geheimgeschichte.
Aus dieser Entrückung zurückgekehrt, entdeckt Anselmus ganz erstaunt, daß er beim hingegebenen Zuhören
oder Halluzinieren oder Küssen die ganze Arbeit des
Schreibens unbewußt schon vollbracht hat und daß die
Hieroglyphen mit der mündlichen Erzählung seiner Geliebten eins sind. Nach diesem Zusammenfall von fremd-
artigen Zeichen und geliebter Stimme, von uraltem Buch
und eigener Seelenliebesgeschichte ist Anselmus dafür reif,
als Dichter ins Land der Dichtung einzugehen. Er hat es
gelernt, aus seiner Liebe und von seiner Liebe zu schreiben. Dem Erzähler Hoffmann bleibt nur, seine Leser zur
Nachahmung des Helden einzuladen.
Ganz zu recht heißt *Der goldne Topf* ›ein Märchen aus der
neuen Zeit‹. Halluzination und Liebe produzieren auf so
märchenhafte wie historisch exakte Weise ein neuzeitli-
ches Märchenwesen: den Autor. Lesen und Schreiben verlieren ihre Mühe und Äußerlichkeit, weil sie Sprechen und
Hören werden; Hören und Sprechen verlieren, was bei allem Phonozentrismus auch an ihnen noch Äußerlichkeit
heißt, weil sie zu akustischem und verbalem Halluzinieren
werden. [...] Die Neutralisierung des Diskurses, beim Helden selber von der Liebe geleistet, übernimmt bei dessen
Autor die Droge Alkohol. Ein ›goldner Topf‹ voller
Punsch bringt den Erzähler dazu, den Anselmus und seine
Geliebte zu halluzinieren, wie sie im Dichterland Atlantis
liebesvereint leben, bis er zuguterletzt diese ›Vision‹, ›als
alles wie im Nebel erloschen, auf dem Papier, das auf dem
violetten Tisch lag, recht sauber und augenscheinlich von
[sich] selbst aufgeschrieben‹ findet. Der Rausch, statt wie
ehedem ein ›Tanz von Bildern und Silben‹ zu sein, macht

die Silben den Bildern zuliebe vergessen und ihr Auf-
schreiben zu einem Spiel, das die Hand von selber treibt,
wenn der Halluzinierende nur tief genug in seine Seele
einkehrt. So löst die Psychologie des Menschen den Körper der Sprache auf. Ein erzählter und ein erzählender
Autor entstehen aus der Internalisierung des Schreibens.
Der goldne Topf ist die Erfolgsmeldung von der endlich
abgeschlossenen Alphabetisierung Mitteleuropas.«

Friedrich A. Kittler: Autorschaft und Liebe. In:
F. A. K. (Hrsg.): Austreibung des Geistes aus den
Geisteswissenschaften. Programme des Poststruk-
turalismus. Paderborn [u.a.]: Schöningh, 1980.
(UTB 1054.) S. 162 f. – © 1980 Verlag Ferdinand
Schöningh, Paderborn.

Polyphones Erzählen

1988 hat der Autor des vorliegenden Erläuterungsbandes
an anderer Stelle den *Goldnen Topf* als »Utopie einer ästhetischen Existenz« beschrieben, d. h. als den Wunschtraum des mittellosen Künstlers von einem pflichtenlosen
und sorgenfreien Leben für das Schöne, eine Idee, die
Hoffmann in seinen großen Märchen in verschiedenen Variationen durchspielte. In diesem Zusammenhang ana-
lysierte er auch wesentliche Aspekte von Hoffmanns
Erzähltechnik, etwa den Multiperspektivismus, und die
Vielschichtigkeit des Textes, die er – im Widerspruch zu
Manfred Momberger, der in *Sonne und Punsch. Die Dissemination des romantischen Kunstbegriffs bei E. T. A. Hoffmann* (1986) vor allem auf die »gewollten Dissonanzen«
und das Kompositionsprinzip der »Heterophonie« abge-
hoben hatte – mit einer polyphonen Partitur verglich.

»Die in die Mythe integrierte Erzählerfiktion, vor allem
Lindhorsts Schlußvolte: ›Ist denn überhaupt des Anselmus Seligkeit etwas anderes als das Leben in der Poesie,

der sich der heilige Einklang aller Wesen als tiefstes Geheimnis der Natur offenbaret?‹, entlarvt die Einkehr des Dichters Anselmus in das Goldene Zeitalter als ironisches Spiel mit der Fiktion. Hoffmann erlaubt seiner Figur, in eine fiktive, von den Nöten der Daseinsfristung verschonte Welt des Kunstschönen zu eskapieren. Denn Anselmus findet sein Atlantis in einem ›Leben in der Poesie‹, und das heißt: in der Dichtkunst. Damit wird Atlantis zur ›Allegorie der Künstlerexistenz‹ (Wöllner). Der miterzählte ›Autor‹ nimmt Lindhorsts Hinweis zur Kenntnis, daß ihm selbst ein ›artige[r] Meierhof als poetisches Besitztum‹ in Atlantis zur Verfügung steht. Hoffmann aber weiß, daß ›Atlantis‹, für immer unerreichbar, auf der Insel ›Utopia‹ liegt. Das ›Leben in der Poesie‹, die den Alltag überhöhende ›poetische Existenz‹, bleibt eine von Sachzwängen umstellte Utopie. Zur erfahrbaren geistigen Realität wird sie nur, wenn die Ekstasen der Phantasie und die werkschaffende Leistung zu jener erfüllten Zeit zusammenfließen, in der sich der schöpferische Mensch als Ganzheit erfahren darf.«

Paul-W. Wührl: E. T. A. Hoffmann. *Der goldne Topf.* Die Utopie einer ästhetischen Existenz. Paderborn [u. a.]: Schöningh, 1988. S. 96. – © Paul-W. Wührl, Cham.

Multiperspektivismus und Fluktuation der Erzählhaltung

»Hoffmann destilliert aus der romantischen Ironie, die als Spiel im Spiel, als Fiktion der Fiktion immer wieder die Erzähldistanz durchbricht und eine seltsame Komplizenschaft mit dem ›wissenden‹ Leser sucht, die Ambivalenzen, die das Wunderbare in die Dresdner Erfahrungswirklichkeit integrieren. Die Allwissenheit der auktorialen Erzählhaltung und die willkürliche Verfügungsgewalt über die Figuren, sind nur wechselnde Attitüden, die er zu diesem Zweck annimmt.

Die Ambivalenzen sollen das Wunderbare als Kehrseite der Wirklichkeit legitimieren. Deshalb konstruiert Hoffmann jede Begebenheit so, daß sie ›zum Schnittpunkt zweier Sehweisen, zweier Perspektiven‹ wird. Der verwirrende Wechsel in der fluktuierenden Erzählhaltung, bzw. die abrupte Verschiebung der Perspektiven konstituieren zudem die Ambivalenz des gesamten Erzählvorgangs, den Dualismus in der erzählten Welt des ›Goldnen Topf‹. Die Perspektive, unter der Anselmus die ihn umgebende Welt erfährt, ist zum Beispiel aus der personalen Erzählhaltung gewonnen; zudem ist ihre ›Brennweite‹ variabel, weil der Erzählerstandort ständig wechselt. Deshalb sieht Anselmus das Interieur von Lindhorsts Haus immer anders und neu. Der erzähltechnische Kunstgriff bewirkt, daß seine Eindrücke von den Innenräumen zwischen Wirklichkeit und Traumbild zu changieren beginnen. So erlebt auch der Leser den Raum nicht statisch, sondern in Fluktuationen, und zwar als Funktion der Sensibilität des Helden, so als ob er selbst Anselmus wäre. Die jeweilige Raumwirkung ist zudem an die Fortschritte und Rückschläge in der Entwicklung des Anselmus zum romantischen Dichter gekoppelt.

Man kann dabei durchaus einen Realitätsrest als Substrat im phantastisch-fluktuierenden Raumerlebnis des Studenten Anselmus erkennen. Man kann mit Preisendanz den Perspektivismus in der Sehweise des Studenten psychologisch als Gefühl der Unterlegenheit deuten. Damit ist aber nicht erklärt, warum das Wunderbare, von Hoffmann erzählt, so überzeugend wirkt.

Desillusionierender Perspektivismus, der den gesamten Erzählvorgang auf höchst reizvolle Weise mit romantischer Ironie durchsetzt, kommt auch durch die individuelle Perspektive verschiedenartiger Märchenfiguren ins Spiel. Denn diese deuten, ihrer Mentalität entsprechend,

die Erscheinungen eben ganz anders als Anselmus, dessen
Sehweise sich der Leser weitgehend zu eigen machen muß,
auch wenn er sich nicht mit ihm identifiziert. [...]
Der Perspektivismus, der sich aus abrupt wechselnden Er-
zählhaltungen ergibt (nach Laune wird Hoffmann vom
auktorialen zum personalen Erzähler und versteckt sich in
der Figur, die er gerade ins Spiel bringt), taucht nicht nur
den gesamten Erzählvorgang in changierende Beleuchtung, sondern auch einzelne Figuren. Das gilt vor allem
für jene, die als Doppelgestalten auch dem magisch-mythischen Bereich der poetischen Wirklichkeit angehören.«

Ebd. S. 42 f.

Der goldne Topf als Erzählpartitur

»In einer Art Spiegeltechnik, die das Spiegelbild im Spiegel, je nach Standpunkt des Betrachters, immer neu interpretiert, organisiert Hoffmann die erzählte, durch und
durch zweideutige Welt des ›Goldnen Topf‹ als unauflösli-
che Duplizität. Dem Leser soll es bei der Lektüre wie dem
Einsiedler Serapion ergehen: Serapion lebt einsam in einem Wald bei Bamberg. Er glaubt aber, in der Wüste von
Theben ein Anachoreten-Leben zu führen, hält sich außerdem für den gleichnamigen frühchristlichen Märtyrer
und ist sogar davon überzeugt, unter Kaiser Decius (249–
251 n. Chr.) in Alexandria hingerichtet worden zu sein,
durch die Allmacht Gottes aber weiterleben zu dürfen.
Damit repräsentiert der Wahnsinnige die wahrhaft dichterische Fähigkeit, die ›Duplizität unseres irdischen Seins,
die Doppelheit von Phantasie und Wirklichkeit‹ zu durch-
schauen. Mit glühender Phantasie stellt er der äußeren
Welt eine Phantasiewelt von unerhört intensivem, d. h.
›serapiontischem‹ Wirklichkeitscharakter entgegen und
beweist dem Erzähler, daß Innen- und Außenwelt sowieso
nicht zu unterscheiden sind. ›Duplizität‹ entwickelt sich

im ›*Goldnen Topf*‹, und nur in diesem von allen sieben Hoffmann-Märchen, zu einer so unauflösbaren Ambiguität, daß es auch noch am Ende unmöglich ist, das Märchen auf eine eindeutige Botschaft festzulegen.

Polyphones Erzählen. Die Ambiguität hängt mit einer Art polyphoner Erzählpartitur zusammen, die den *Text* auf verschiedenen Handlungsebenen entfaltet, wobei jede, für sich genommen, eine in sich plausible Geschichte erzählt. (Vgl. Skizzen »Zeitstruktur« und »Atlantis-Mythe«, S. 70/71 und 102.)

1) Die Handlung in der *realen Dresdner Zeit* schildert die Liebesgeschichte zwischen dem gehemmten, aber begabten Studenten Anselmus und der resoluten Lehrerstochter Veronika Paulmann, die den vermeintlichen sozialen Aufsteiger gerne heiraten möchte. Er aber zieht der banalen bürgerlichen Ehe die zweifelhafte Existenz eines Berufsschriftstellers vor und endet vermutlich als Sonderling in einem Poeten-Dachstübchen.

2) Die *mythische Erzählebene* entwickelt im Sinne der Neuen Mythologie eine Variante zum Mythos vom Goldenen Zeitalter und erzählt, in triadischer Sukzession, von der ursprünglichen Harmonie, ihrer Zerstörung durch den Einbruch der Ratio und der Rückgewinnung der Harmonie in einem Friedensreich.

3) Wo die beiden *Haupterzählebenen einander berühren*, bzw. das *Wunderbare* schockartig in die enge Realität des kleinbürgerlichen Dresdner Helden eindringt, verwandelt sich das simple Brautwerbeschema in den komplizierten Entwicklungsroman eines romantischen Dichters. Durch das Wunderbare reift er vom subalternen Archiv-Schreiber und reproduktiven Kopisten zum schöpferischen Autor, der in der selbstvergessenen Autorschaft sein inneres ›Atlantis‹ findet.

4) Auf der Textebene der *Leseranreden, Erzählerexkurse, Fiktionsnennungen* und *Kapitel-Untertitel* entwickelt der spätromantische Märchendichter E. T. A. Hoff-

mann die transzendentalpoetische ›*Utopie einer ästhe-*
tischen (Dichter-)Existenz‹. Sie reflektiert ihre eigenen
Realisationsbedingungen als miterzählte Poetologie
und ironisiert zugleich die frühromantische Ideologie
von der Neuen Mythologie.
In den *Kontext* mit den anderen Erzähllebenen rücküber-
führt, beginnen die in sich stimmigen Teil-Erzählungen so
verwirrend zu changieren, daß der Leser seinen überge-
ordneten Standpunkt aufgeben muß. Gefragt, was er von
dem Erzählten zu halten habe, bleibt ihm nur das Einge-
ständnis, daß er drei Stunden phantasievoll und höchst
amüsant unterhalten wurde.
Hoffmann schätzte den ästhetischen Rang seines ›*Goldnen*
Topf‹ hoch ein. Aber er muß auch gespürt haben, daß die
ironisch gebrochene Botschaft, die streckenweise parodi-
stische Auseinandersetzung mit der Neuen Mythologie,
dem Wunschtraum von der solidarischen Gemeinschaft
die Flucht in den narzißtischen Selbstgenuß entgegensetzt.
Wohl deshalb begnügte er sich nicht mit dieser Variante
der ›*Utopie einer ästhetischen Existenz*‹. [...]

Ebd. S. 96 f.

Ein Epilog

Was haben die Interpreten nicht alles mit Hoffmanns
Goldnem Topf angestellt!
Er wurde motivgeschichtlich (Maassen), biographisch
(Huch), naturphilosophisch (Harich), irrenärztlich (Klin-
ke), psychoanalytisch (McGlathery), tiefenpsychologisch
(Jaffé), geistesgeschichtlich (Korff), strukturanalytisch
(Rockenbach), marxistisch (Werner), ideologiekritisch
(Klotz), poetologisch-diskursanalytisch (Kittler/Momber-
ger) gedeutet, um nur die wichtigsten zu nennen. Man
sollte also annehmen, dass das Märchen inzwischen er-
schöpfend erklärt sei.

Aber ein derart raffiniertes Erzählgebilde bietet findigen Köpfen noch manche Chance, ihren Scharfsinn zu erproben, was wiederum beweist, dass ein »fiktionaler« Text wie eine Partitur auf die Umsetzung durch den Leser wartet. Dies aber hängt entscheidend von dessen Lesefähigkeit, seinen Leseerfahrungen und von dem Instrumentarium ab, über das er verfügt.

VII. Literaturhinweise

1. Nachschlagewerke, Handbücher, allgemeine Darstellungen

Frenzel, Elisabeth: Motive der Weltliteratur. Ein Lexikon dichtungsgeschichtlicher Längsschnitte. Stuttgart: Kröner, 1976 [u. ö.]. (Kröners Taschenausgabe. 301.)

Handwörterbuch des deutschen Aberglaubens. Hrsg. von Hanns Bächtold-Stäubli. Nachtrag. Berlin: de Gruyter, 1938–41. Bd. 9 a. [›Spiegel‹: Sp. 547–577.]

Hauser, Arnold: Sozialgeschichte der Kunst und Literatur. München: Beck, 1975.

Kiesel, Helmuth / Münch, Paul: Gesellschaft und Literatur im 18. Jahrhundert. Voraussetzungen und Entstehung des literarischen Markts in Deutschland. München: Beck, 1977.

Kluge, Friedrich: Etymologisches Wörterbuch der deutschen Sprache. 21., unveränd. Aufl. Berlin / New York: de Gruyter, 1975.

Küpper, Heinz: Wörterbuch der deutschen Umgangssprache. 2 Bde. Hamburg: Claassen, Bd. 1. 4. Aufl. Unveränd. Nachdr. der 3., neubearb. und erw. Aufl., 1965. – Bd. 2: 10 000 neue Ausdrücke von A–Z. 2. Aufl. 1966.

2. Ausgaben, Briefe, Tagebücher

Fantasiestücke in Callot's Manier. Blätter aus dem Tagebuche eines reisenden Enthusiasten. Mit einer Vorrede von Jean Paul. Dritter Band. Bamberg: Neues Leseinstitut von C. F. Kunz, 1814. [Erstdruck.]

E. T. A. Hoffmanns Sämtliche Werke. Historisch-kritische Ausg. mit Einl., Anm. und Lesarten von Carl Georg von Maassen. Bd. 1. München/Leipzig: Müller, 2., unveränd. Aufl. 1912. [Zit. als: HKA I.]

E. T. A. Hoffmann. [Sämtliche Werke in Einzelbänden.] 6 Bde. Hrsg. und Nachw. von Walter Müller-Seidel. Anm. von Wolfgang Kron. München: Winkler, 1960–81. [Zit. wird aus Bd. 1: *Fantasie- und Nachtstücke* (1960), Bd. 3: *Die Serapionsbrüder* (1963) und Bd. 4: *Späte Werke* (1965.)]

Sämtliche Werke. 6 Bde. [in 7 Tln.] Hrsg. von Gerhard Allroggen,

Wulf Segebrecht, Hartmut Steinecke [u. a.]. Bd. 1 ff. Frankfurt a. M.: Deutscher Klassiker Verlag, 1985 ff.

E. T. A. Hoffmann: Der goldne Topf. Ein Märchen aus der neuen Zeit. Hrsg. von Maria Dessauer. In: Märchen der Romantik. Bd. 2. Frankfurt a. M.: Insel, 1977. S. 673–764. (Insel Taschenbuch. 285.)

E. T. A. Hoffmann: Der goldne Topf. Ein Märchen aus der neuen Zeit. Hrsg. von Paul-Wolfgang Wührl. In: Im Magischen Spiegel. Märchen deutscher Dichter aus zwei Jahrhunderten. Bd. 2. Frankfurt a. M.: Insel, 1981. (Insel Taschenbuch. 558.) S. 206–296.

E. T. A. Hoffmann: Der goldne Topf. Ein Märchen aus der neuen Zeit. Nachw. von Hartmut Steinecke. Stuttgart: Reclam, 1993 [u. ö.]. (Universal-Bibliothek. 101.)

E. T. A. Hoffmann: Der goldne Topf. Gemalt von Jindra Čapek. Stuttgart/Wien: Weitbrecht, 1995.

E. T. A. Hoffmanns Briefwechsel. Ges. und erl. von Hans von Müller und Friedrich Schnapp. Hrsg. von Friedrich Schnapp. 3 Bde. München: Winkler, 1967–69. [Zit. als: B I, II.]

E. T. A. Hoffmann: Tagebücher. Nach der Ausg. Hans von Müllers mit Erl. hrsg. von Friedrich Schnapp. München: Winkler, 1971. [Zit. als: T.]

3. Bibliographien

Goedeke, Karl: Grundriß zur Geschichte der Deutschen Dichtung aus den Quellen. Bd. 8. Dresden 1905. S. 468–506, 713 f.
– Grundriß zur Geschichte der Deutschen Dichtung aus den Quellen. Bd. 14. Berlin 1959. S. 352–490, 1008–14.
Kanzog, Klaus: Grundzüge der E. T. A. Hoffmann-Forschung seit 1945. Mit einer Bibliographie. In: Mitteilungen der E. T. A. Hoffmann-Gesellschaft 9 (1962) S. 1–30; 12 (1966) S. 33–39; 16 (1970) S. 28–41.
– Zehn Jahre E. T. A. Hoffmann-Forschung. E. T. A. Hoffmann-Literatur 1970–1980. Eine Bibliographie. In: Mitteilungen der E. T. A. Hoffmann-Gesellschaft 27 (1981) S. 55–103.
Voerster, Jürgen: 160 Jahre E. T. A. Hoffmann-Forschung 1805 bis 1965. Eine Bibliographie mit Inhaltserfassung und Erl. Stuttgart 1967.

Steinecke, Hartmut: Zur E. T. A. Hoffmann-Forschung. In: Zeitschrift für deutsche Philologie 89 (1970) S. 222–234.
– E. T. A. Hoffmann: Dokumente und Literatur 1973–1975. In: Zeitschrift für deutsche Philologie 95 (1976) Sonderheft Hoffmann. S. 160–163.
Olbrich, Andreas: Bibliographie der Sekundärliteratur über E. T. A. Hoffmann 1981-1993. Tl. 1: 1981–1987. In: Hoffmann-Jahrbuch 4 (1996) [zum *Goldnen Topf*] S. 130 f. – Tl. 2: 1988 bis 1993. In: Hoffmann-Jahrbuch 5 (1997) S. 67–119.
Mayer, Mathias / Tismar, Jens: Kunstmärchen. 3., vollst. neu bearb. Aufl. Stuttgart 1997. (Sammlung Metzler. 155.)

4. Biographisches

Harich, Walther: E. T. A. Hoffmann. Das Leben eines Künstlers. 2 Bde. Berlin 1920.
Schenck, Ernst von: E. T. A. Hoffmann. Ein Kampf um das Bild des Menschen. Berlin 1939.
Wittkop-Ménardeau, Gabrielle: E. T. A. Hoffmann. In: Selbstzeugnissen und Bilddokumenten. Hamburg 1966. (rowohlts monographien. 113.)
E. T. A. Hoffmann in Aufzeichnungen seiner Freunde und Bekannten. Eine Sammlung von Friedrich Schnapp. München 1974.
Helmke, Ulrich: E. T. A. Hoffmann. Lebensbericht mit Bildern und Dokumenten. Kassel 1975.
Günzel, Klaus: E. T. A. Hoffmann. Leben und Werk in Briefen, Selbstzeugnissen und Zeitdokumenten. Düsseldorf 1979.
Safranski, Rüdiger: E. T. A. Hoffmann. Das Leben eines skeptischen Phantasten. München 1984.
Ringel, Stefan: Realität und Einbildungskraft im Werk E. T. A. Hoffmanns. Köln/Weimar/Wien 1997.

5. Literatur zum *Goldnen Topf* und anderen Märchen Hoffmanns

Beardsley, Christa: E. T. A. Hoffmann. Die Gestalt des Meisters in seinen Märchen. Bonn 1975.
Benz, Richard: Märchen-Dichtung der Romantiker. Mit einer Vor-

geschichte. Gotha 1908. S. 142–148: Das romantische Wirklichkeitsmärchen.

Bollnow, Otto Friedrich: Der goldne Topf und die Naturphilosophie der Romantik. Bemerkungen zum Weltbild E. T. A. Hoffmanns. In: Die Sammlung 6 (1951). Wiederabgedr. In: O. F. B.: Unruhe und Geborgenheit im Weltbild neuerer Dichter. Stuttgart 1953. S. 207–226.

Egli, Gustav: E. T. A. Hoffmann. Ewigkeit und Endlichkeit in seinem Werk. Zürich/Leipzig/Berlin 1927.

Fühmann, Franz: Fräulein Veronika Paulmann aus der Pirnaer Vorstadt oder Etwas über das Schauerliche bei E. T. A. Hoffmann. München 1984.

Heine, Roland: Die fiktionale Reduktion der Transzendentalpoesie. E. T. A. Hoffmanns Märchen *Der goldne Topf.* – In: R. H.: Transzendentalpoesie. Studien zu Friedrich Schlegel, Novalis und E. T. A. Hoffmann. Bonn 1974. S. 154–202.

Jaffé, Aniela: Bilder und Symbole aus E. T. A. Hoffmanns Märchen *Der Goldne Topf.* In: C[arl] G[ustav] Jung: Gestaltungen des Unbewußten. Zürich 1950. S. 237–616.

Just, Klaus Günther: Die Blickführung in den Märchennovellen E. T. A. Hoffmanns. In: Wirkendes Wort 14 (1963/64) S. 389–397.

Kittler, Friedrich A.: Autorschaft und Liebe. In: F. A. K. [Hrsg.]: Austreibung des Geistes aus den Geisteswissenschaften. Programm des Poststrukturalismus. Paderborn 1980. S. 142–173.

Klotz, Volker: Warum die in Hoffmanns Märchen wohl immer so herumzappeln? In: Frankfurter Rundschau. 24. Januar 1976. S. III.

Korff, Hermann August: E. T. A. Hoffmann. In: H. A. K.: Geist der Goethezeit. Bd. 4. Leipzig 1953. [*Der Goldne Topf:* S. 619–625.]

Loecker, Armand de: Zwischen Atlantis und Frankfurt. Märchendichtung und Goldenes Zeitalter bei E. T. A. Hoffmann. Frankfurt a. M. / Bern 1983.

McClathery, James M.: »Bald Dein Fall Ins Ehebett?« A New Reading of E. T. A. Hoffmann's *Goldner Topf.* In: The Germanic Review 53 (1978) H. 3. S. 106–114.

Marhold, Hartmut: Die Problematik dichterischen Schaffens in E. T. A. Hoffmanns Erzählung *Der goldne Topf.* In: Mitteilungen der E. T. A. Hoffmann-Gesellschaft 32 (1986) S. 50–73.

Martini, Fritz: Die Märchendichtungen E. T. A. Hoffmanns. In: Der Deutschunterricht 7 (1955) H. 2. S. 56–78.

Miller, Norbert: E. T. A. Hoffmanns doppelte Wirklichkeit. Zum

Motiv der Schwellenüberschreitung in seinen Märchen. In: Literaturwissenschaft und Geschichtsphilosophie. Festschrift Wilhelm Emrich. Berlin / New York 1975. S. 357–372.

Momberger, Manfred: Sonne und Punsch. Die Dissemination des romantischen Kunstbegriffs bei E. T. A. Hoffmann. München 1986. Bes. S. 78–108.

Mühlher, Robert: Leitmotiv und dialektischer Mythos in E. T. A. Hoffmanns *Der goldne Topf*. In: Mitteilungen der E. T. A. Hoffmann-Gesellschaft 1 (1940) H. 213. S. 65–96.

– Liebestod und Spiegelmythe in E. T. A. Hoffmanns Märchen *Der Goldne Topf*. In: R. M.: Dichtung der Krise. Mythos und Psychologie in der Dichtung des 19. und 20. Jahrhunderts. Wien 1951. S. 43–95, 544–551.

Nehring, Wolfgang: E. T. A. Hoffmanns Erzählwerk: Ein Modell und seine Variationen. In: Steven P. Scher [Hrsg.]: Zu E. T. A. Hoffmann. Stuttgart 1981. S. 55–73.

Nygaard, Loisa C.: Anselmus as Amanuensis: The Motif of Copying in Hoffmann's *Der goldne Topf*. In: Seminar. A Journal of Germanic Studies 19 (1983) S. 79–104.

Ochsner, Karl: E. T. A. Hoffmann als Dichter des Unbewußten. Ein Beitrag zur Geistesgeschichte der Romantik. Frauenfeld/Leipzig 1936.

Oesterle, Günter: E. T. A. Hoffmann: *Der goldne Topf*. In: Erzählungen und Novellen des 19. Jahrhunderts. Interpretationen. Bd. 1. Stuttgart 1988. S. 181–220.

Pikulik, Lothar: Anselmus in der Flasche. Kontrast und Illusion in E. T. A. Hoffmanns *Der goldne Topf*. In: Euphorion 63 (1969) S. 341–370.

Preisendanz, Wolfgang: Humor als dichterische Einbildungskraft. München 1963. S. 47–117 und S. 290–307.

Schumacher, Hans: Narziß an der Quelle. Das romantische Kunstmärchen. Geschichte und Interpretationen. Wiesbaden 1977. [E. T. A. Hoffmann: S. 107–149.]

Stegmann, Ingrid: Die Wirklichkeit des Traums bei E. T. A. Hoffmann. In: Zeitschrift für deutsche Philologie 95 (1976) Sonderheft Hoffmann. S. 64–93.

Steinecke, Hartmut: E. T. A. Hoffmann. Stuttgart 1997.

Strohschneider-Kohrs, Ingrid: Die romantische Ironie in Theorie und Gestaltung. Tübingen 1960. [S. 337–424: Die romantische Ironie in der Erzählkunst.]

Thalmann, Marianne: E. T. A. Hoffmanns Wirklichkeitsmärchen. In: The Journal of English and Germanic Philology 51 (1952) S. 473–491.

– Das Märchen und die Moderne. Zum Begriff der Surrealität im Märchen der Romantik. Stuttgart 1961. [Das E. T. A. Hoffmann-Märchen: S. 78–103.]

Werner, Hans-Georg: E. T. A. Hoffmann. Darstellung und Deutung der Wirklichkeit im dichterischen Werk. 2., durchges. Aufl. Weimar 1971.

Willenberg, Kurt: Die Kollision verschiedener Realitätsebenen als Gattungsproblem in E. T. A. Hoffmanns *Der goldne Topf*. In: Zeitschrift für deutsche Philologie 95 (1976) Sonderheft Hoffmann. S. 93–113.

Wöllner, Günter: E. T. A. Hoffmann und Franz Kafka. Von der »fortgeführten Metapher« zum »sinnlichen Paradox«. Bern/Stuttgart 1971.

Wührl, Paul-Wolfgang: Die poetische Wirklichkeit in E. T. A. Hoffmanns Kunstmärchen. Untersuchungen zu den Gestaltungsprinzipien. Diss. München 1963.

– Märchen deutscher Dichter. Hrsg. von P.-W. W. Frankfurt a. M. 1964. [S. 767–802: Nachwort.]

– Das deutsche Kunstmärchen. Geschichte, Botschaft und Erzählstrukturen. Heidelberg 1984. – Überarb. und aktual. Neuaufl. Baltmannsweiler 2003.

– *Der goldne Topf*: Die Utopie einer ästhetischen Existenz. Paderborn 1988.

– E. T. A. Hoffmann, *Der goldne Topf. Ein Märchen aus der neuen Zeit* (1814). Werkimmanente Textanalyse. Baustein 5/3.5. – E. T. A. Hoffmanns »Traum vom Leben für das Schöne«. Eskapismus in E. T. A. Hoffmanns Manier. Baustein 5/3.7. – In: Fertig ausgearbeitete Unterrichtsbausteine für das Fach Deutsch. Eine Ideenbörse für alle Pflicht- und Wahlthemen in der Sek.-Stufe I und II. Hrsg. von Christoph Kunz. Kissing. Erg.-Lfg. Mai und November 1998.

– (Hrsg.): Im magischen Spiegel. Märchen deutscher Dichter aus zwei Jahrhunderten. Bd. 1. Frankfurt a. M. 1978. [S. 9–58: »Im Magischen Spiegel. Variationen über das Wunderbare in den Märchen deutscher Dichter von Wieland bis Döblin.«] – Bd. 2. Frankfurt a. M. 1981. [S. 9–79: Einführung.]

Der Verlag Philipp Reclam jun. dankt für die Nachdruckgenehmigung den Rechteinhabern, die durch den Quellennachweis und einen folgenden Genehmigungs- oder Copyrightvermerk bezeichnet sind. In einigen Fällen waren die Inhaber der Rechte nicht festzustellen; hier ist der Verlag bereit, nach Anforderung rechtmäßige Ansprüche abzugelten.